KB131345

이웃집 공룡

볼리바르

위즈덤하우스

BOL

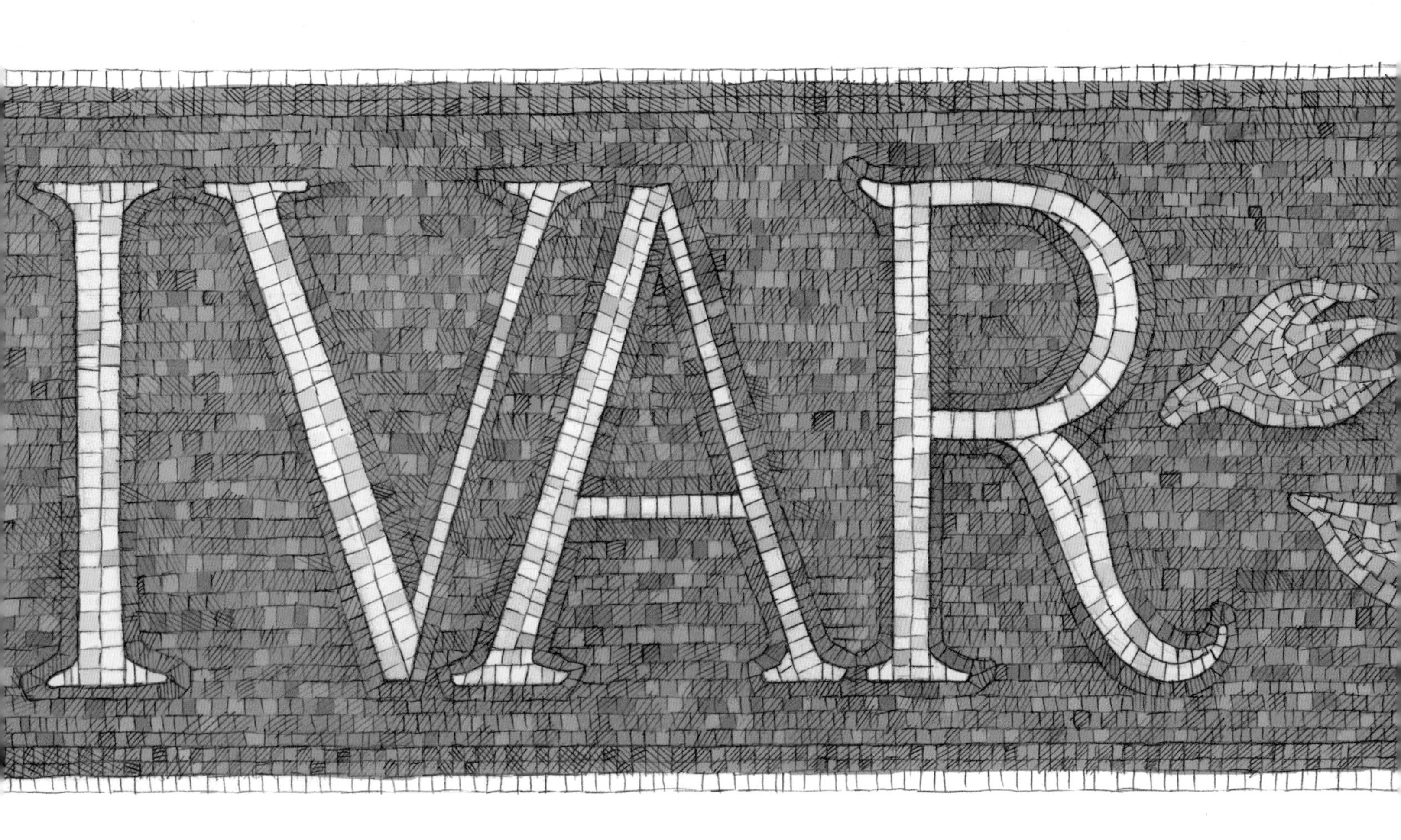

글 · 그림 숀 루빈 옮김 황세림

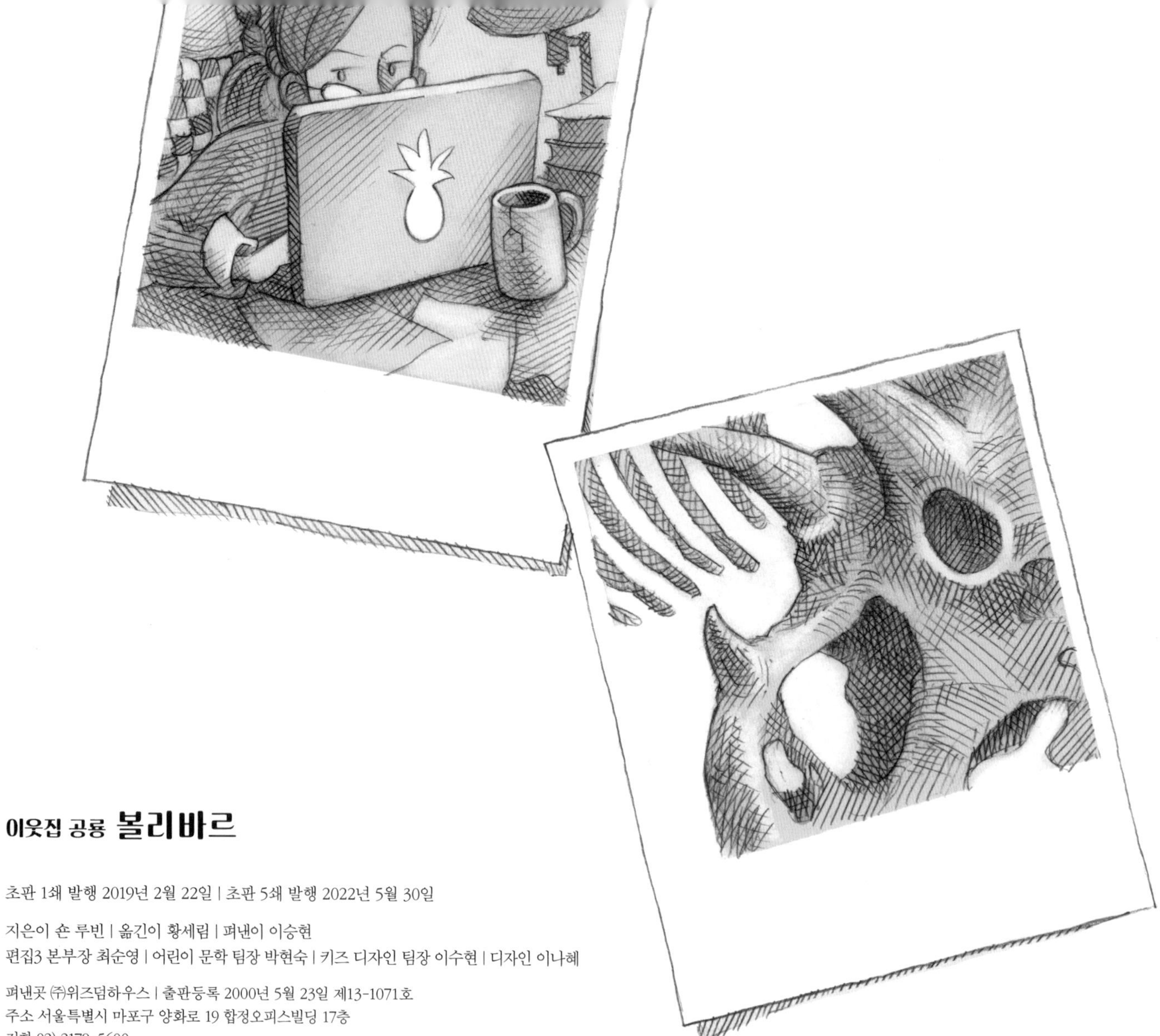

이웃집 공룡 볼리바르

초판 1쇄 발행 2019년 2월 22일 | 초판 5쇄 발행 2022년 5월 30일

지은이 숀 루빈 | 옮긴이 황세림 | 펴낸이 이승현
편집3 본부장 최순영 | 어린이 문학 팀장 박현숙 | 키즈 디자인 팀장 이수현 | 디자인 이나혜

펴낸곳 ㈜위즈덤하우스 | 출판등록 2000년 5월 23일 제13-1071호
주소 서울특별시 마포구 양화로 19 합정오피스빌딩 17층
전화 02) 2179-5600
홈페이지 www.wisdomhouse.co.kr | 전자우편 kids@wisdomhouse.co.kr

ISBN 978-89-6247-162-5 73840

(에디 삼촌에게)

CHAPTER 1

우리 옆집에는 공룡이 산다

다음 주 금요일, 뉴욕 시장이
자연사 박물관에서 열리는
공룡 화석 전시회에
참석합니다.

NDRY
BAGELS
VERTEBRÆ&VERBATIM
NO DOGS
OPEN

역사에 길이 남을
이번 전시회에서 공룡에 관한
새로운 증거가 공개됩니다.
COLUMBUS AV
UPTOWN
COMICS
NEWS
MTA
I ♥ NY

이 증거는 공룡이
어떻게 멸종했는지
분명하게 알려 준다고
합니다.
저,
실례합니다.
넵.

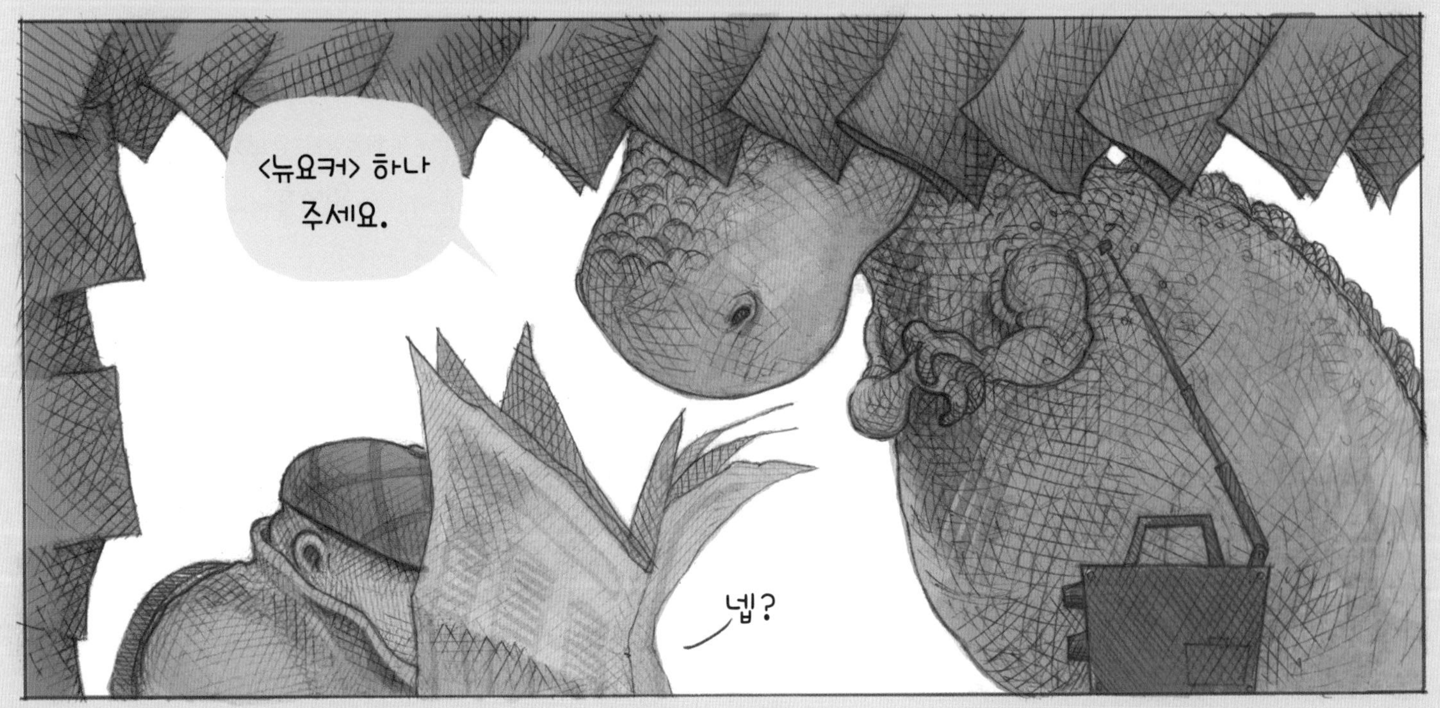
<뉴요커> 하나
주세요.
넵?

놀랍게도 이 증거는
몇십 년 동안
박물관 기록 보관소에
있었는데,
아무도 **알아차리지**
못했다고 합니다.

에구구,
여기 사람들은
이래서 문제야.

NEWS
POST
MTA
아무것도
못 알아차린다니까.

볼리바르는 공룡이에요. 세상에 남은 마지막 공룡이지요.

볼리바르는 네스호에 산다는 괴물 이야기도 들어 보았고,
바다 괴물이 나오는 옛날 영화도 보았어요.
하지만 그게 다 헛소리라는 걸 알지요.

진짜 공룡은 주목받는 걸 좋아하지 않아요.
사람들 눈에 절대로 띄고 싶어 하지 않지요.

그래서 볼리바르는
세상에서 가장 바쁜 도시에 살았어요.

엄마!
돌아왔어요!
미술관
시 청

엄마!
왜?
미술관

엄마,
공룡이
돌아왔어요!
뭐?
내려와서 말해.
하나도 안 들려!
공룡이
돌아왔다고요!

봐요!
엄마!
창밖이요!
우리 딸, 엄마
일 끝내야 해.

빨리요,
와서 봐요!

시빌?

시빌,
방은 다 치웠니?

볼리바르가 아파트로 처음 이사 왔을 때,
집주인은 너무 바빠서 볼리바르가 공룡이라는 걸 알아차리지 못했어요.
그저 서류 몇 장만 주고는 서명하라고 했어요.

서류에는 아파트에서 개나 고양이를 기르면 안 된다고 적혀 있었어요.
볼리바르는 개나 고양이가 없으니 방을 얻을 수 있었지요.

그 서류에 공룡 이야기는 단 한 줄도 없었어요.

공룡 대부분이 그렇듯,
볼리바르도 통조림 소고기를 넣은
샌드위치와 탄산음료를 즐겨 먹었어요.
탄산음료에는 라임을 넣어 마셨죠.

뉴욕에서
가장 큰
통조림
소고기
샌드위치

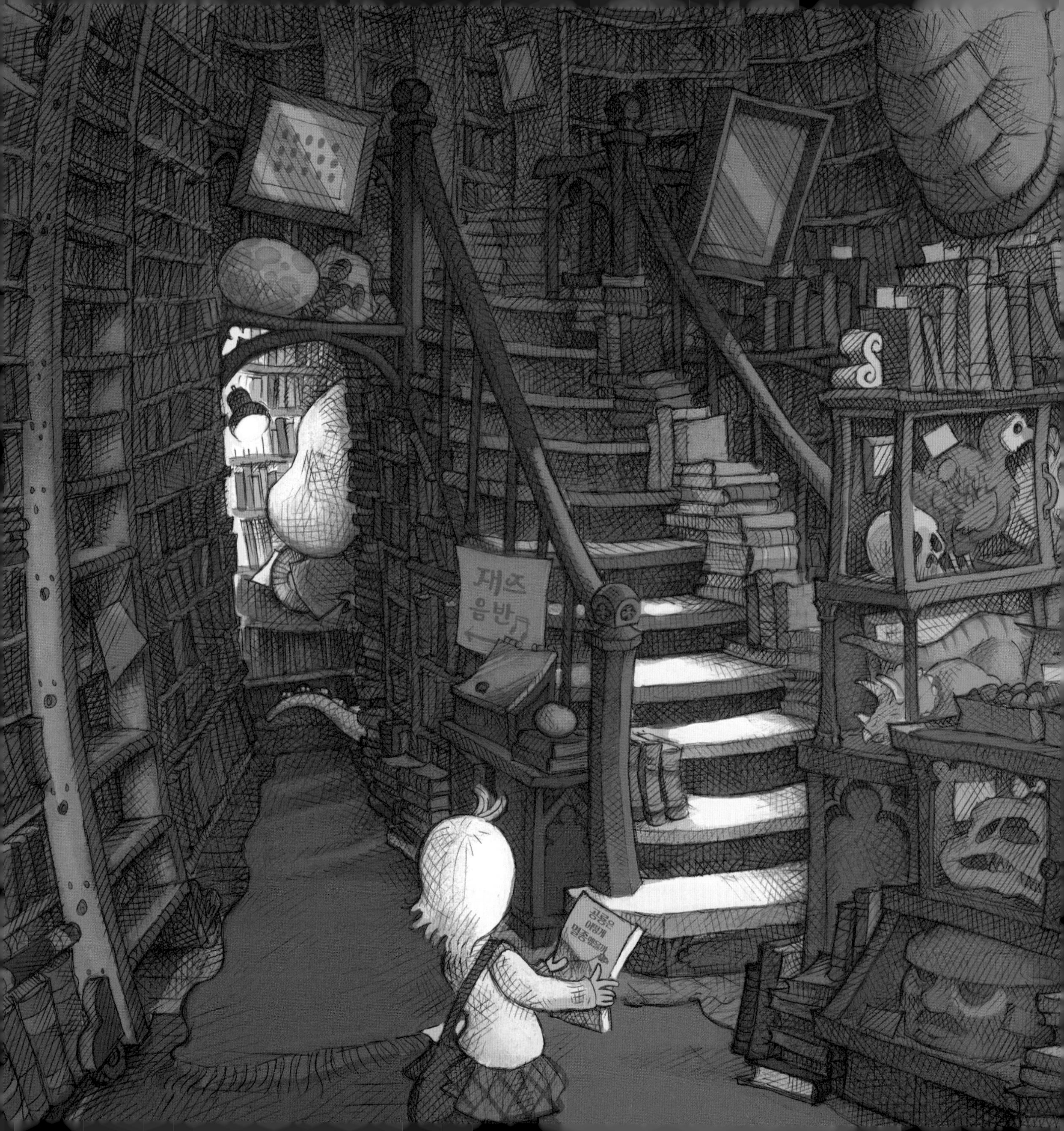
재즈
음반
공룡은
어떻게
멸종했을까

볼리바르는 헌책을 모으고
오래된 레코드판을
뒤적이는 걸 좋아했어요.

집세를 꼬박꼬박 내고(실제로 꼬박꼬박 냈고)
10시 이후에 조용히 지내는 한
(실제로 조용히 지냈으니),
아무도 볼리바르를 성가시게 하지 않았어요.

THE BROOKLYN BRIDGE

뉴욕 사람들은 너무 바빠서 볼리바르가 공룡이라는 걸 알아차리지 못했어요.

“어떤 이들은 네스호 괴물이
스코틀랜드 네스호에 사는
선사 시대 파충류라고 주장하는데….”
엄마,
‘호’가 뭐예요?

호는 호수야.
어디까지 읽었더라?
"이 괴물에 대한 기록은 1933년에 처음 나타났다. 한 스코틀랜드 남자가 거대한 파충류를 보았는데,
입에 짐승을 물고 고속도로를 느릿느릿 건너갔다고 했다."
자,
오늘 밤엔 여기까지 읽자.
엄마, 여기서 스코틀랜드는 얼마나 멀어요?

아마
몇천 킬로미터는
될 거야. 왜?
이번 주에 자연사 박물관
견학 간다고 했지?
시장님 본다니까
기대되니?
하암,
시장님도 공룡처럼
생겼어요?
딸깍!

뉴욕 사람들은 너무 바빠서 볼리바르를 알아보지 못하고 지나치면서
다들 공룡이 멸종했다고 생각했어요.

Aa Bb Cc Dd Ee Ff Gg Hh Ii Jj Kk Ll Mm Nn Oo
네 자신을 믿어라!
날 뻥 차!
시빌,
네가 해 볼래?
채점용

저요?
준비되었으면
발표해 보렴.
이번 주 라틴어
amō
amās
amat
amāmus
amātis
amant
음…,
내 이웃은 키가 2.4미터고,
회색이다.
혼자 있는 걸
좋아한다.

amō
amās
amat
신문 가판대에
들렀다 돌아오는 모습을
주로 보는데….
글쓰기 숙제
이웃 사람

키가 2.4미터에 회색이라고?
뭐야, **코끼리**야?
* 킥킥 *

아냐,
공룡이야.

...
...
...
...
?
!
정말이에요!
공룡이 웨스트 78번가에 살아요!
<뉴요커>를 읽는다니까요!
하하 하 하하하하하하하하하하하
채점용
공부 안 해?
그럼 낙제다!

시빌, 숙제를
다시 해야겠구나!
멸종한 공룡이
어떻게 옆집에 사니?
하하하하하하하

* 킥킥 *

이 공룡은 멸종하지
않았을 수도 있잖아요?
하하하하하하 하하!

CHAPTER 2

공룡 사진을 찍고 말 거야!

시빌?

ROMAN
ART

시빌?
HERCULES

시빌?

시빌!
왜 자꾸 몰래
사라지니?
쉿…,
들키겠어요!
사진을 꼭
찍고 싶어요.
공룡?
시빌,
엄마가 전에도
얘기했잖아.
공룡은 죄다
자연사 박물관에
있다니까.

그리고 솔직히,
지금 여기에도
볼 건 많잖니.
옆집 공룡 같은
멸종한 동물은 없잖아요.
지금 여기 미술 작품을 보러
와 있다고요.
미술
작품?
그래,
작품 사진은
찍어도 된대.
하지만 플래시는
터뜨리면 안 돼.
내 말
듣고 있니?
어쨌든,
이제 돌아가야 해.

오늘은
아주 바쁜 날이야.
이봐요!
플래시는
안 돼요!
번쩍!

뉴욕 사람들 대부분이 그렇듯, 볼리바르도 아주 바빴어요.
아침에는 5번가에 있는 큰 미술관을 즐겨 찾았지요.

볼리바르는 미술관에서 누군가 자신을 알아보고
“공룡이다!”라고 비명을 지를까 봐
걱정하지 않았어요.

GALLERY
500-550
Degas
하지만 증거가 필요하단 말이에요!
증거 사진을 찍어야 한다고요!
엄마!

다들 예술 작품을 보느라 너무 바빴으니까요.

흠.

미술관
출구

시빌?

가만…
가만…
가… 만….
찾았다!!
찰칵!

오후가 되면 볼리바르는
센트럴파크를 즐겨 걸었어요.

시빌,
너 진짜 계속
이럴래?
자전거에 치이거나,
발을 헛디뎌서
다리 밑으로 떨어지면
어쩌려고….
엄마가
수없이 말했잖아,
절대로 혼자
다니면 안 돼.

볼리바르는 공원에서
누군가 자신을 알아보고
“공룡이다!”라고
비명을 지를까 봐
걱정하지 않았어요.
엄마, 놔요!
저기 있단 말이에요!

팔백만이 넘는
사람들이 사는 데다,
난폭한 택시
기사도 많고,
하수도에
악어가 있을지도
모르는데….
하수도에
무슨 악어가
있어요!

다들 새를 보느라 너무 바빴으니까요.

저녁에 볼리바르가 장을 보러 가도,
아무도 알아보지 못했어요.

뉴욕주 사과
5개 3달러
그래니 스미스 사과
3개 1달러
파인애플
3.5달러
자몽
블루베리
4.99
딸기
4달러
블러드 오렌지
시빌, 엄마 말 듣고… 있니?

오렌지
레몬
오렌지
43
79
키 라임
79
감귤

Take a number

얘!
너, 공룡 봤니?
공룡? 공룡은 다
멸종했잖아!
난 고릴라를 찾고 있어.
고릴라가 고층 빌딩을 타고
오르는 걸 봤거든.
키가
15미터나 됐어!

가엾게도
맛이 갔네.
얘야, 엄마가
말했잖아.
거기 올라가는
동물은 관광객
뿐이라니까.
엄마,
엠파이어 스테이트 빌딩에
가서 커다란 고릴라
찾고 싶어요!
그건
엄마 말이
맞아.

엄마!
!
자꾸 이럴래?

공공장소에서
아이를 제대로
통제 못 하는
부모도
있다지만…
시빌?
이봐요!
애 좀 봐요!!
EXIT

시빌!!

HOT DOGS
PAPAYA CZAR
72
시빌?
카놉스키네
~간이식당~
황금거위

시빌?
어디 있니?!
찾았다!
놀러 와!
공룡은 어
멸종했을

* 에휴 *
그 탐험가 모자를 쓰지 말라고 할 걸 그랬어.
찰칵!

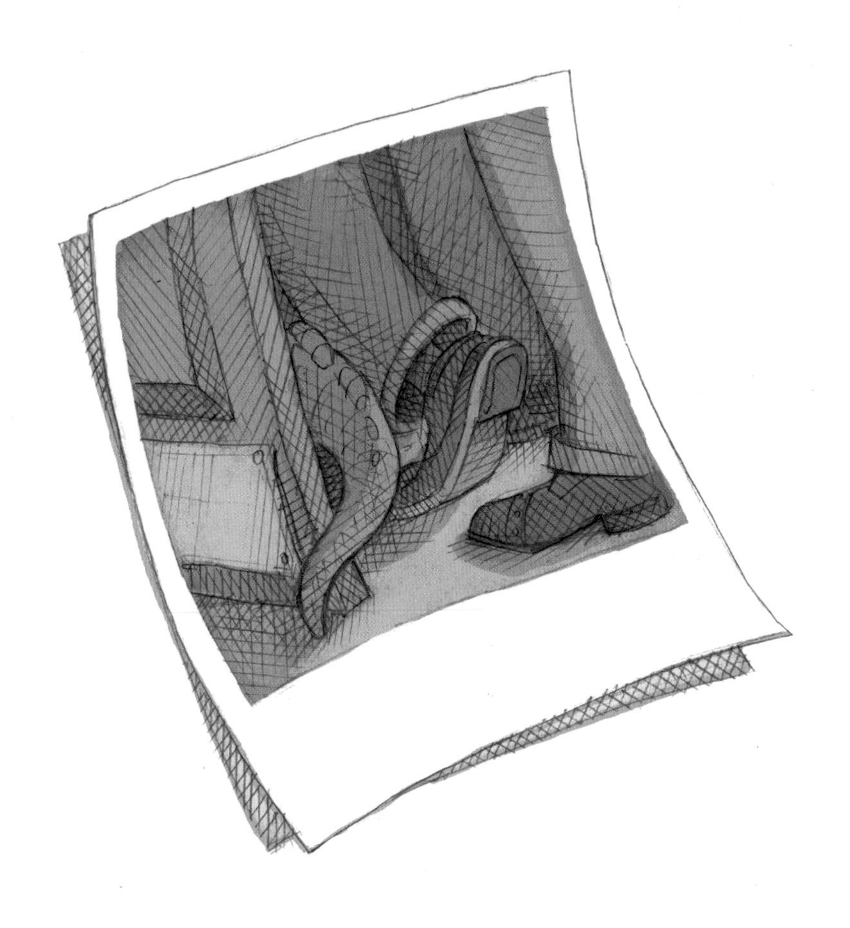

밤에 볼리바르가 지하철을 타고 시내로 음악을 들으러 가도,
아무도 알아보지 못했어요.

E. BW

CATHERINE ST
MOTT ST
E BROADWAY
FDR Drive
EXIT
格信酒
WALK
福
1330
LUCKY DUCK CAFE
香港
HONG KONG GROCERY
大虎
1331
FISH AND SEAFOOD
MACY
POST NO BILLS
OPEN

시빌?
우리 딸, 잘 준비 다 했…?
TIGER HOUSE OF NOODLES
1550 E BWAY
CHINA TOWN LUMBER

이걸 다 오늘 찍었니?
음.
네, 다 엉망이에요.
아무래도 잠복했다가 밤에 돌아올 때를 노려서….
센트럴 파크
미술관
브로드웨이
슈퍼마켓
잠복? 얘야, 하루가 길었잖니.
엄마랑 아빠는 잘 건데…,
너도 이제 그만 자면 좋겠구나.
하지만 엄마! 난 꼭….
잘 자렴, 시빌.

볼리바르가 밤늦게 집에 돌아와도…

… 아무도 알아차리지 못했죠.

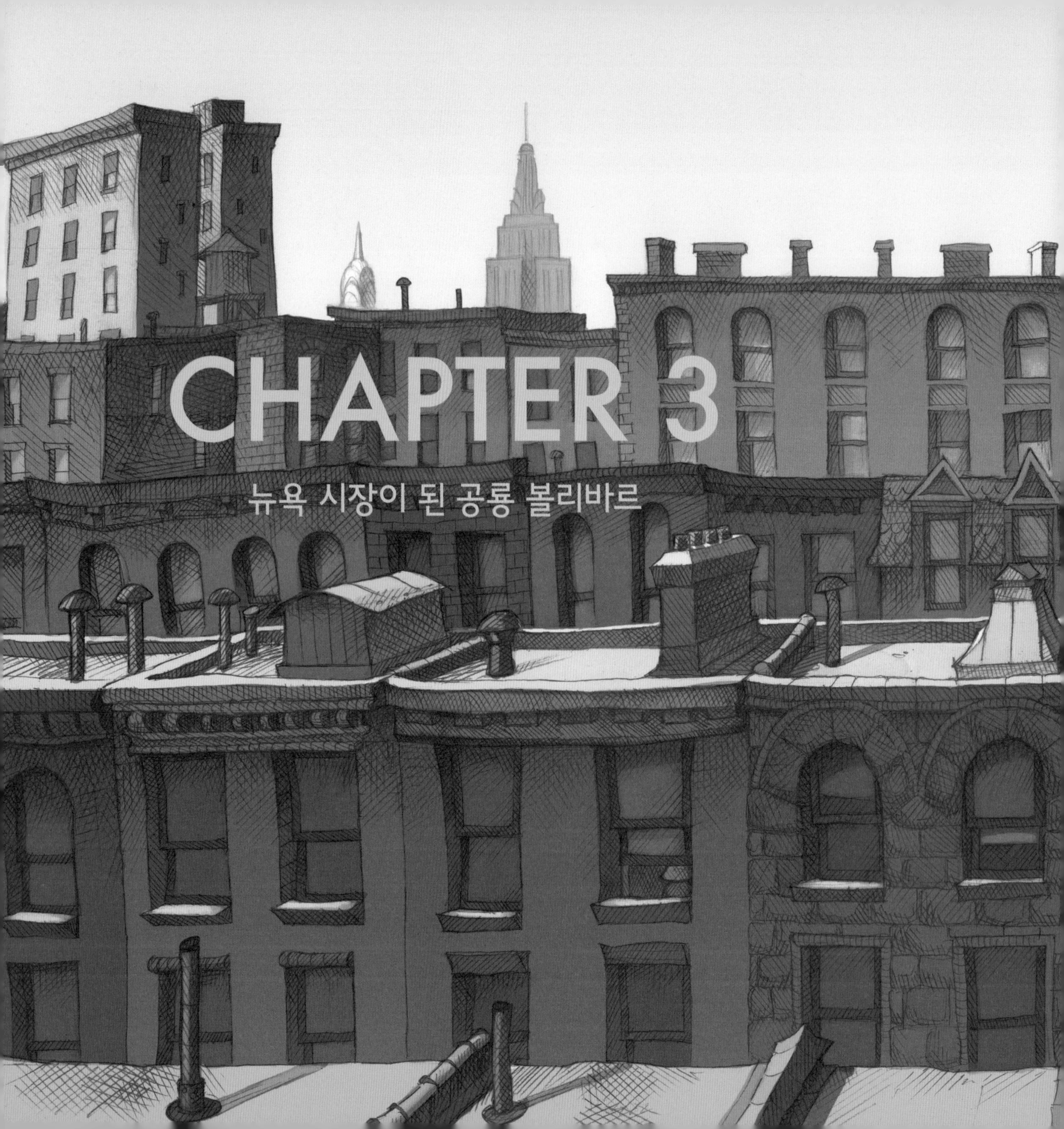

CHAPTER 3

뉴욕 시장이 된 공룡 볼리바르

빵빵!

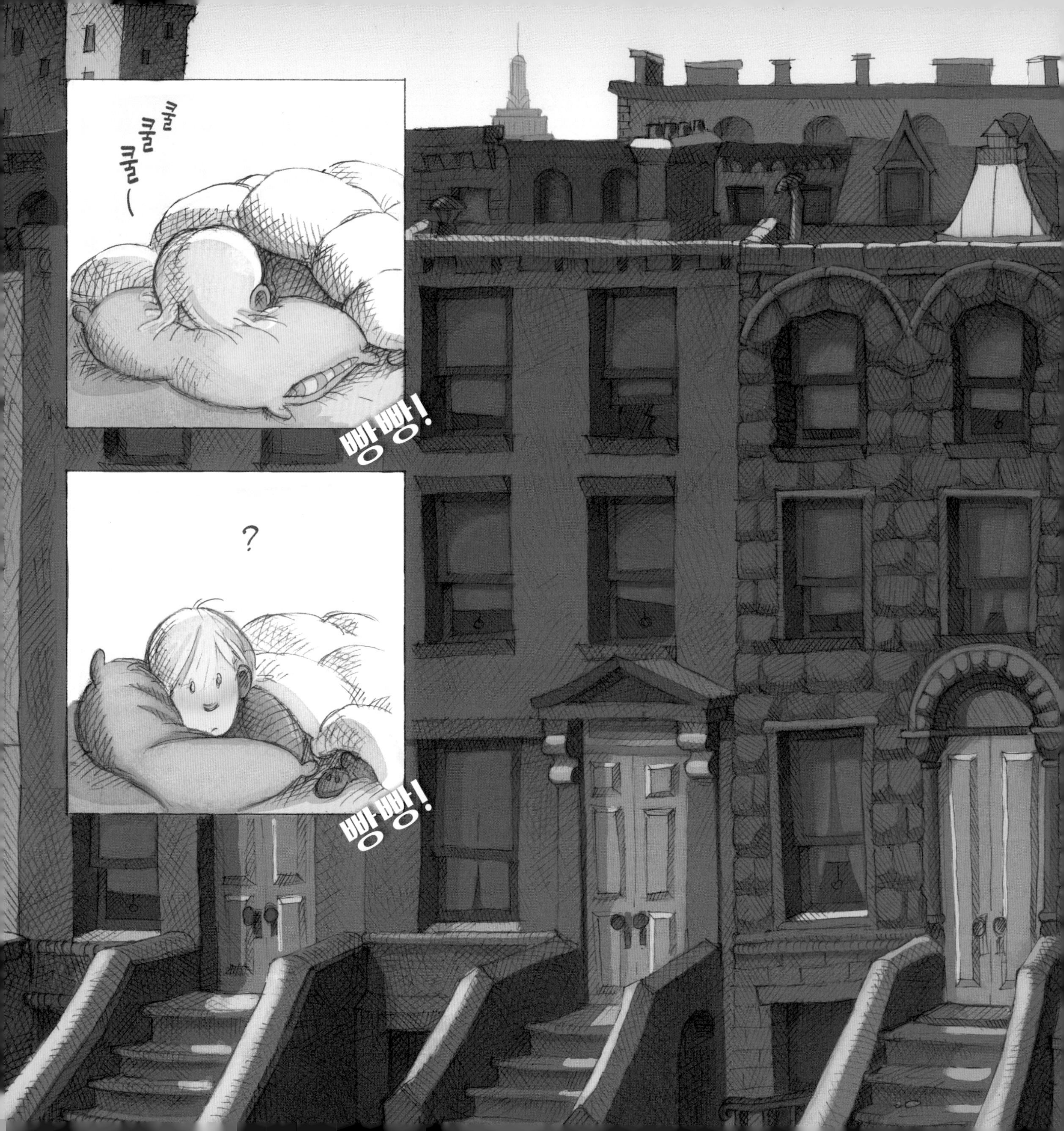
쿨
쿨
쿨—
빵빵!
?
빵빵!

빵빵!
빵빵!

학교 갈 준비는 다 했니?
일 분만요!
!
TIGER 09

빵빵!
세미네 견인차
주차 금지 구역에
자동차 발견.
일방통행로
반대 방향
진입에…
바퀴 두 개가
인도를 침범함.
별일 다
보겠구먼.
안녕하세요!
흠.

이봐요!

응?
플라스틱
유리
당신 공룡이죠!

터무니없는 소리! 공룡은 다 멸종했어. 암튼, 낯선 사람한테 말 걸면 안 돼.
플라스틱
유리
재활용 쓰레기를 뒤죽박죽 버려서도 안 되고.
하지만 당신은 낯선 사람이 아니라 공룡이잖아요!

네가 정 그렇게 말한다면….
시빌! 학교 갈 준비 해라!
뭐, 어쨌든 한 장 남았으니까.

“치즈” 하세요!

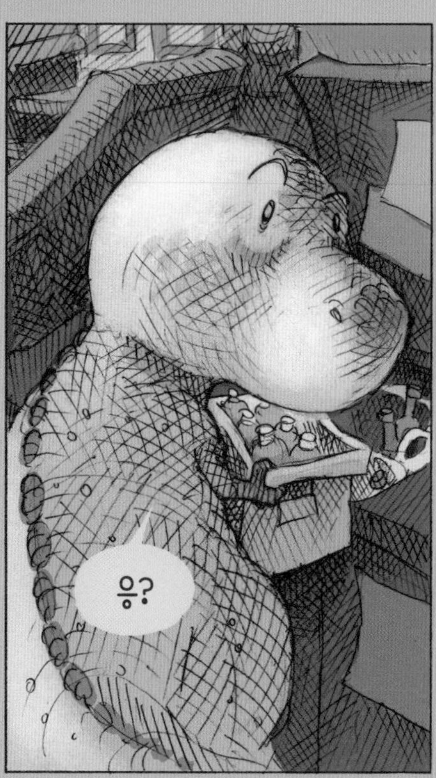
응?

꺄아아아!

카메라는 엄마가 맡아 둘게. 이웃을 몰래 엿보는 짓은 그만해!
하지만 이웃이 공룡인걸요!

엄마, 아빠는 슬슬 걱정돼.
선생님도 연락하셨더라. 네가 학교에서도 계속 공룡 얘기를 한다고….

그냥 상상하며
노는 거라고 말씀 드렸지만,
다들 이해해 주는 건 아니니까.
그만 멈추지 않으면…
듣고 있니?
네!
…좋아.

옷 입고 내려와서
오 분 내로 준비하렴.
얼른.

야-호!!!
당장!

어느 날 아침, 볼리바르는 뭔가 이상하다는 걸 깨달았어요.
우선은 주차 위반 딱지를 떼였어요.

이봐요!
쓰레기 버리지
말아요!
죄송합니다!
치울게요!

형씨,
거기 주차하면
안 돼요.

경찰관은 주차 위반 딱지를 떼느라 너무 바빠서
볼리바르가 자동차가 아니라 공룡이라는 걸 알아차리지 못했지요.

이젠 늙어서
이 일도 벅차구먼.

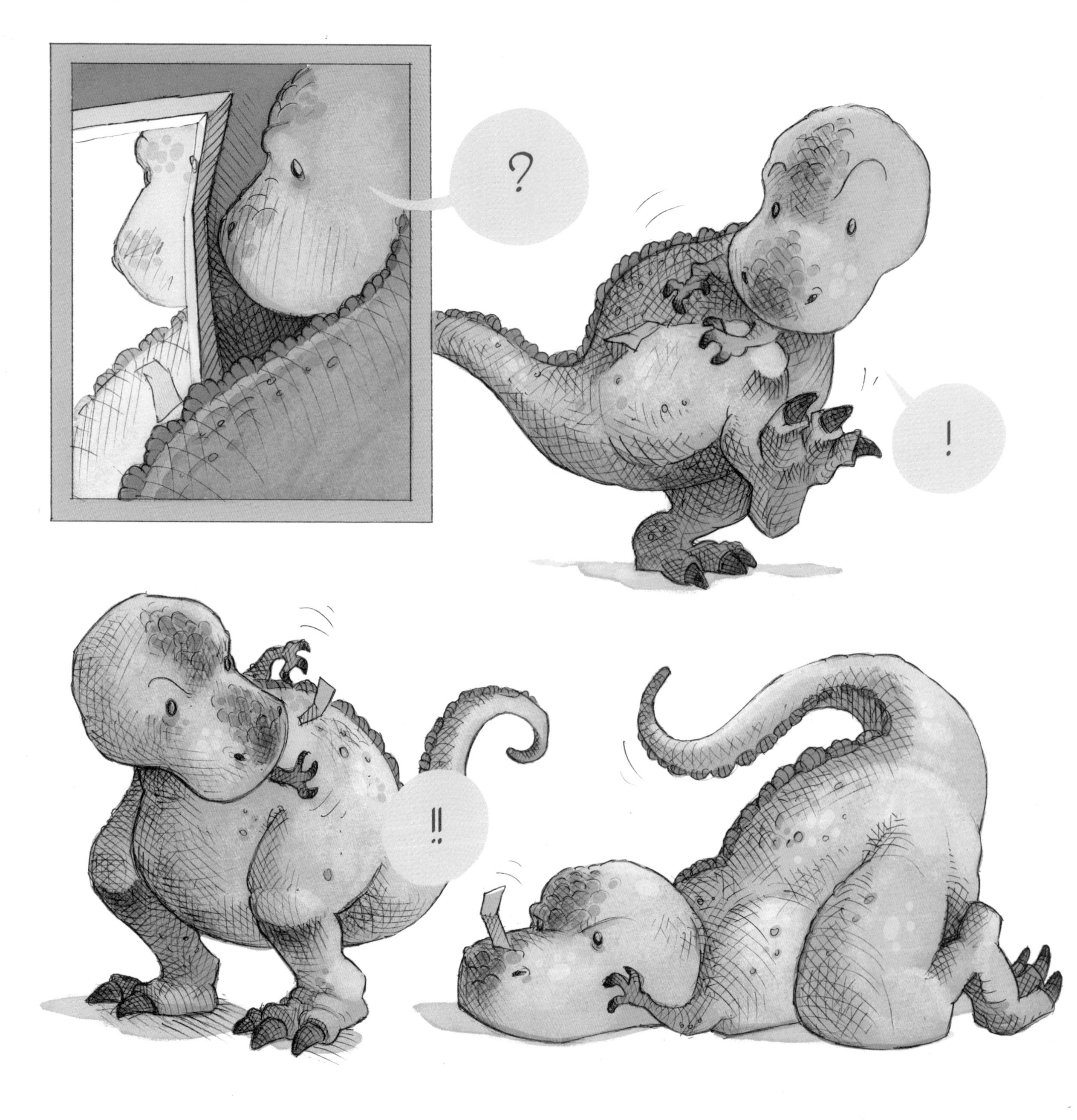

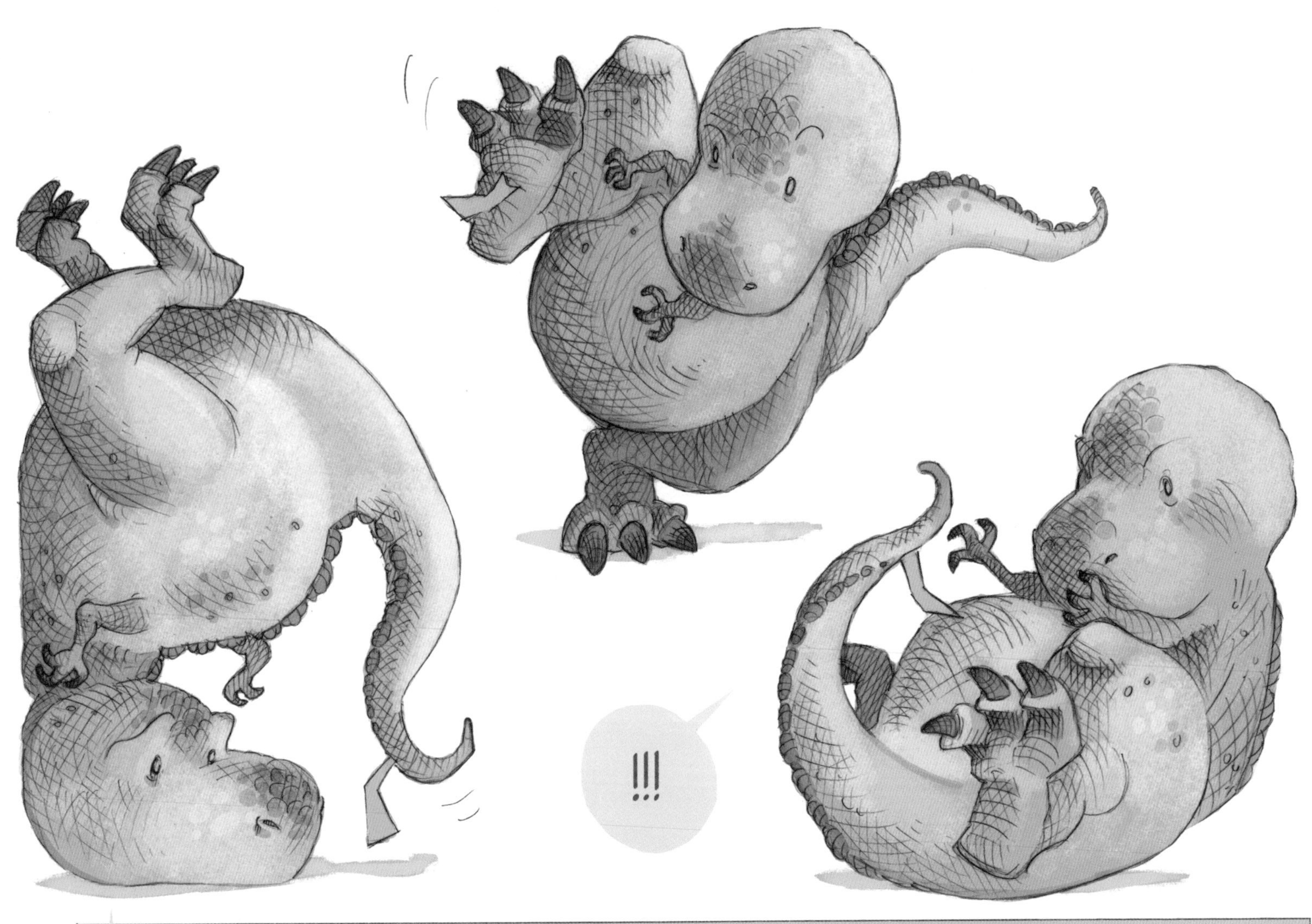
!!!

?!
뉴욕 경찰청
도로교통과
* 딱지 *
사유 : 주차 위반
70달러
문의? 불만?
전화 ☞
1-800-뉴욕

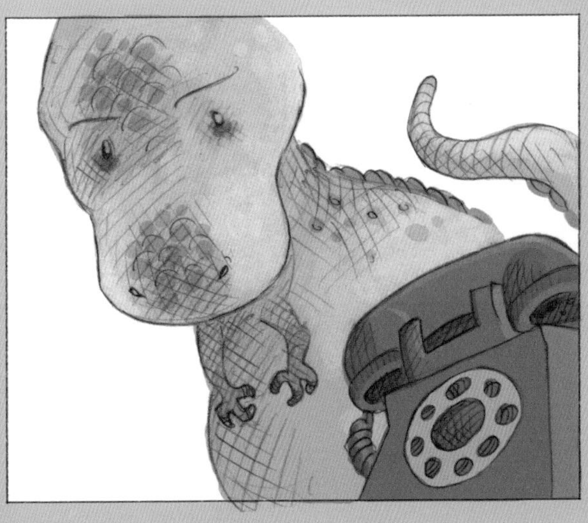

따르릉!
따르릉!
따르릉!

안녕하세요,
도로교통과입니다.
무엇을
도와드릴까요?
제가 억울하게
주차 위반 딱지를
떼였어요.
전 차도 없는데.
그러시군요.

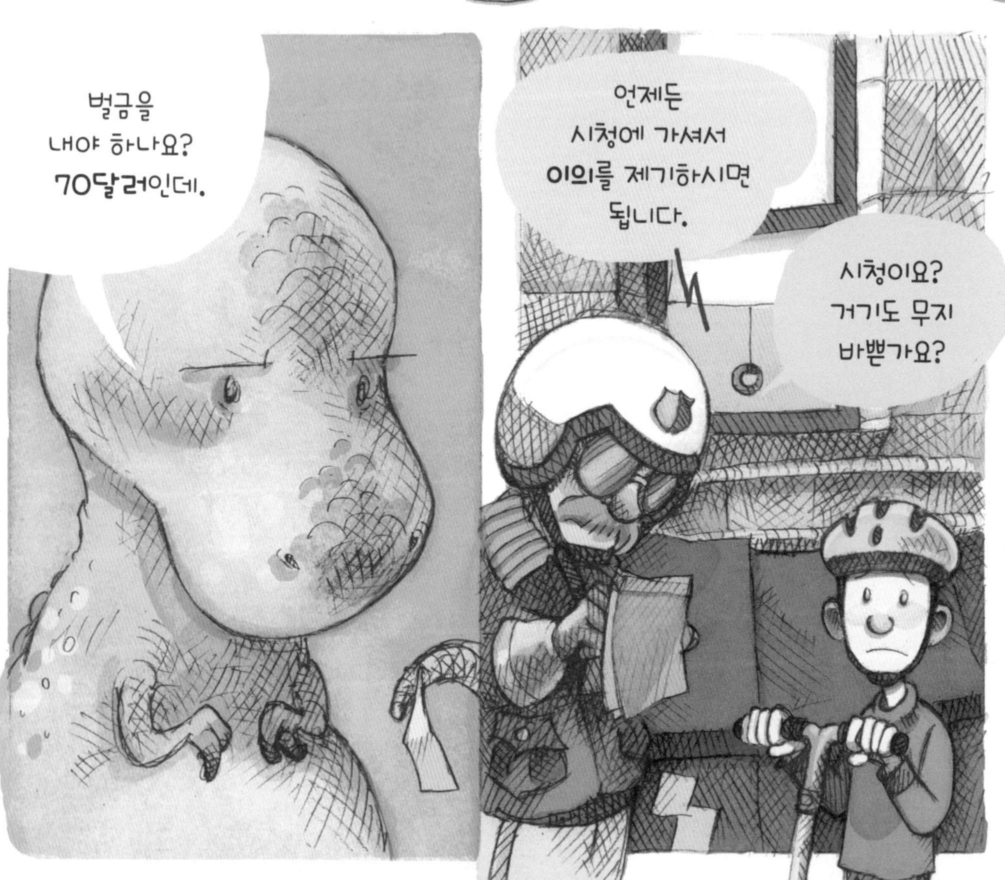
벌금을
내야 하나요?
70달러인데.
언제든
시청에 가셔서
이의를 제기하시면
됩니다.
시청이요?
거기도 무지
바쁜가요?

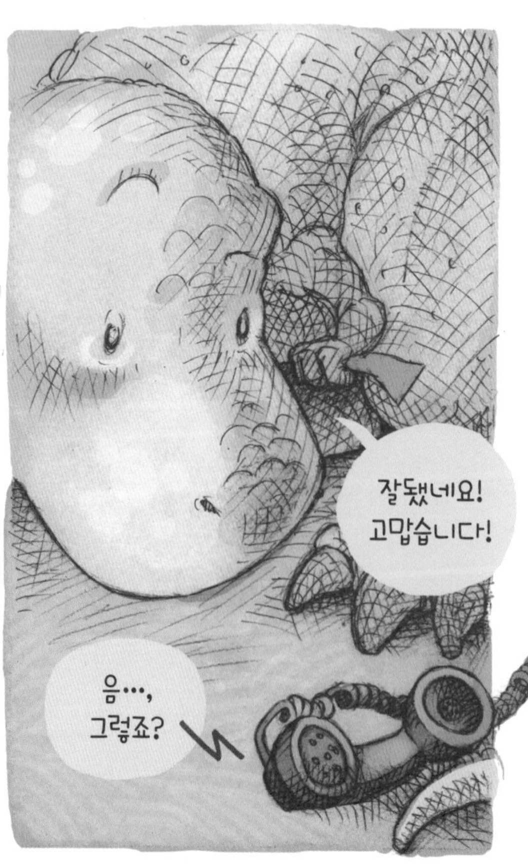
잘됐네요!
고맙습니다!
음…,
그렇죠?

볼리바르는 스스로를 모범 시민이라고 생각했어요.
한 번도 법을 어긴 적이 없었으니까요.

볼리바르는 시청에 가서 직접 문제를 해결하기로 했어요.

볼리바르가 시청에 도착했을 때,
아무도 앞을 막지 않았어요.

경비원들은 사람들을 막느라 바빠서
공룡이 지나가는 줄도 몰랐거든요.

공룡 대부분이 그렇듯, 볼리바르도
방향 감각이 형편없었어요.

시청에서 길을 잃고 헤매다
그럴듯해 보이는 방에 들어가게 되었어요.
거기는 바로 시장실이었어요!

처음에는 시장님도 공룡이 들어온 줄은 몰랐어요.

누구라고?

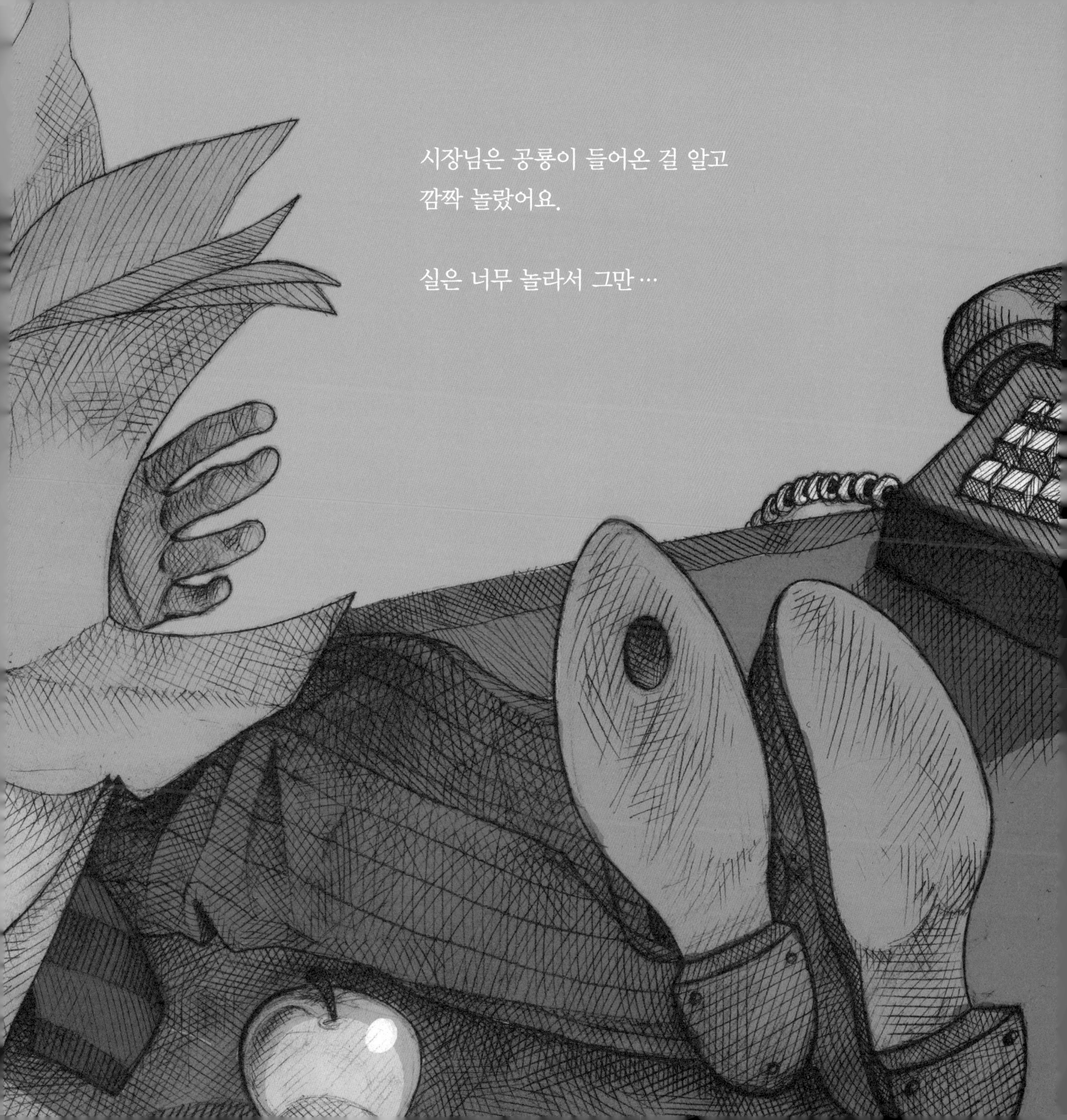

시장님은 공룡이 들어온 걸 알고
깜짝 놀랐어요.

실은 너무 놀라서 그만 …

… 기절하고 말았죠. 볼리바르는 어쩔 줄을 몰랐어요. 불법 주차는 안 했다 해도 시장님을 기절시킨 것은 불법이 거의 확실했어요.

갑자기 남자들이 시장실로 우르르 들이닥쳤어요.
볼리바르는 꼼짝없이 체포되는구나 하고 생각했어요.

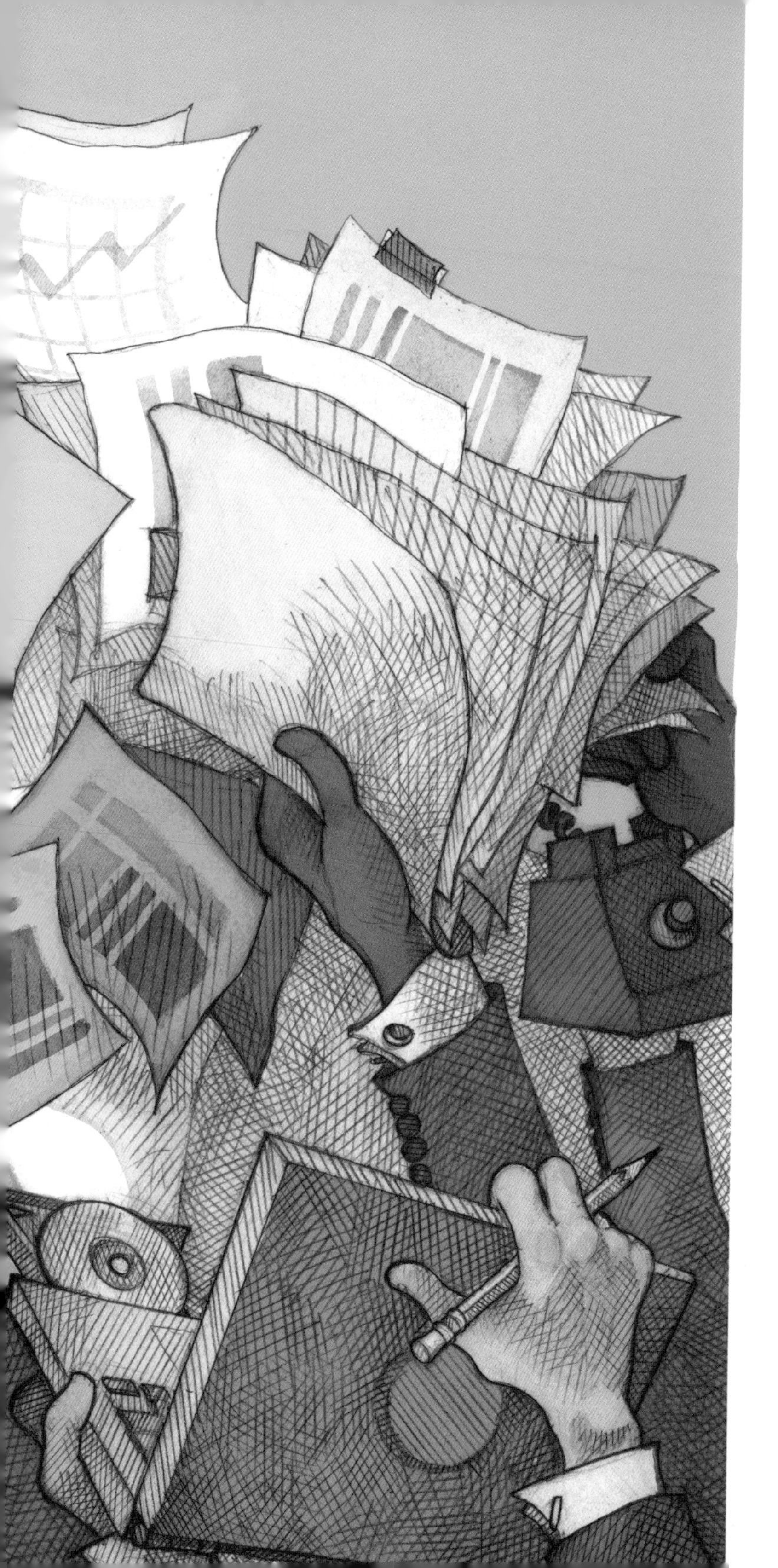

하지만 볼리바르는 체포되지 않았어요.

남자들은 소리치느라 너무 바빠서
공룡을 체포할 새가 없었어요.

남자들은 볼리바르가 시장님이 아니라는 사실을
전혀 알아차리지 못했어요.
물론 볼리바르가 공룡인 것도 알아차리지 못했죠.
볼리바르를 기자 회견장에 데려가느라 너무 바빴거든요.

기자 회견장에 도착한 볼리바르는 안절부절못했어요.
그런 탓에 남자들이 미리 귀띔해 준 내용도
새까맣게 잊어버렸어요.

음,
이런 모습이라
죄송합니다.
감기 기운이
있어서요.

볼리바르가 괜히 걱정했나 봐요.

다들 특종을 잡느라 너무 바빠서
시장님이 공룡이라는 걸 알아차리지 못했어요.

음…,
기자 회견은
몇 시에 끝나나요?
1시 15분.

나,
괜찮아요?

1시 16분!
늦었습니다!

볼리바르는 시장님이 이렇게 바쁜지 미처 몰랐어요.

기자 회견을 마치자마자,
볼리바르는 다른 곳으로 끌려갔어요.

어디 가는
거예요?
자연사 박물관으로 갑니다.
학생들 앞에서
연설을 할 예정입니다.
거기서 오늘 **공룡** 전시회가
열립니다!
공룡?

공룡
선사 식물관
문 닫았다는 얘기
들었어?
우웩,
거기 정말
따분했는데.
이것 좀 봐!
증거 가져왔어!
빵!
어디 봐!
선생님,
여기 보세요!

한 명씩
차례대로 보면
어떨까?
가자, 얘들아.
우리 늦겠다.
야,
됐어.

이이-과-노-돈…,
스테-고-소우-루스…,

아시겠습니까,
시장님?

연설을 잘하시려면
공룡을 훤히 꿰고
있어야 합니다!

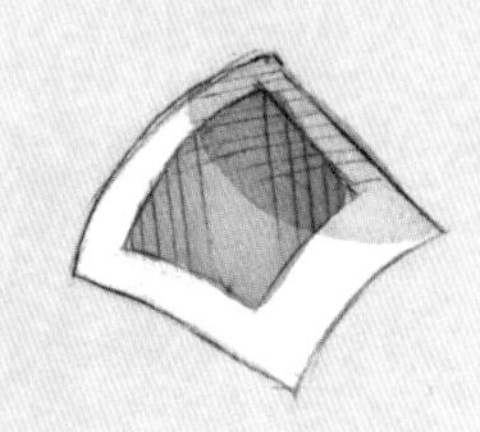

이건 아십니까?
아르-키이-옵-테-릭스.

헉! 깃털이 있는 줄은
몰랐네요!
와, 꽤 사나워
보이는데요?

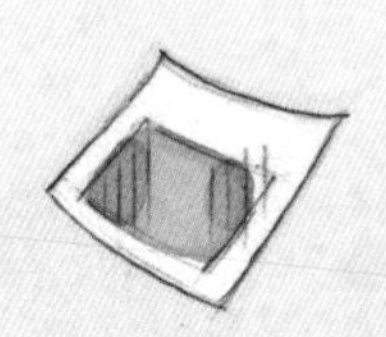

파-키이-세-펠라-
소우-루스,
두개골이 제법 두껍네요.
와, 뉴욕에 살았나 봐요?
시장님?

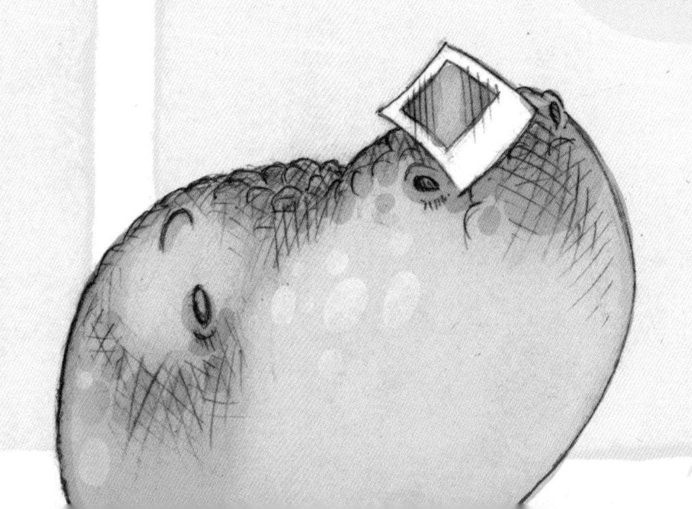

에,
걱정 마세요.

공룡은
어떻게
멸종했을까
시장님
도착
했습니다.

공룡은
어떻게
멸종했을까
환영합니다!

CHAPTER 4
박물관에 진짜 공룡이 나타나다

"안녕하세요,
뉴욕 라디오입니다.
자연사 박물관에서
생방송으로
전해 드립니다."

"시장님이 이제 곧
연설을 시작합니다.
이 자리에 함께하는
행운을 얻은 학생들은…."

공룡은
서두르자!
그렇다고 뛰진 말고
빨리 걷자!
밀면 안 돼!

... 시장님이
무슨 말씀을 하실지
숨죽이며 고대하고
있습니다.

멸종했을까
♪

볼리바르는 자연사 박물관에 도착한 뒤에도
누군가 자신이 진짜 시장님이 아니라는 걸
알아차릴까 봐 계속 걱정했어요.
음.

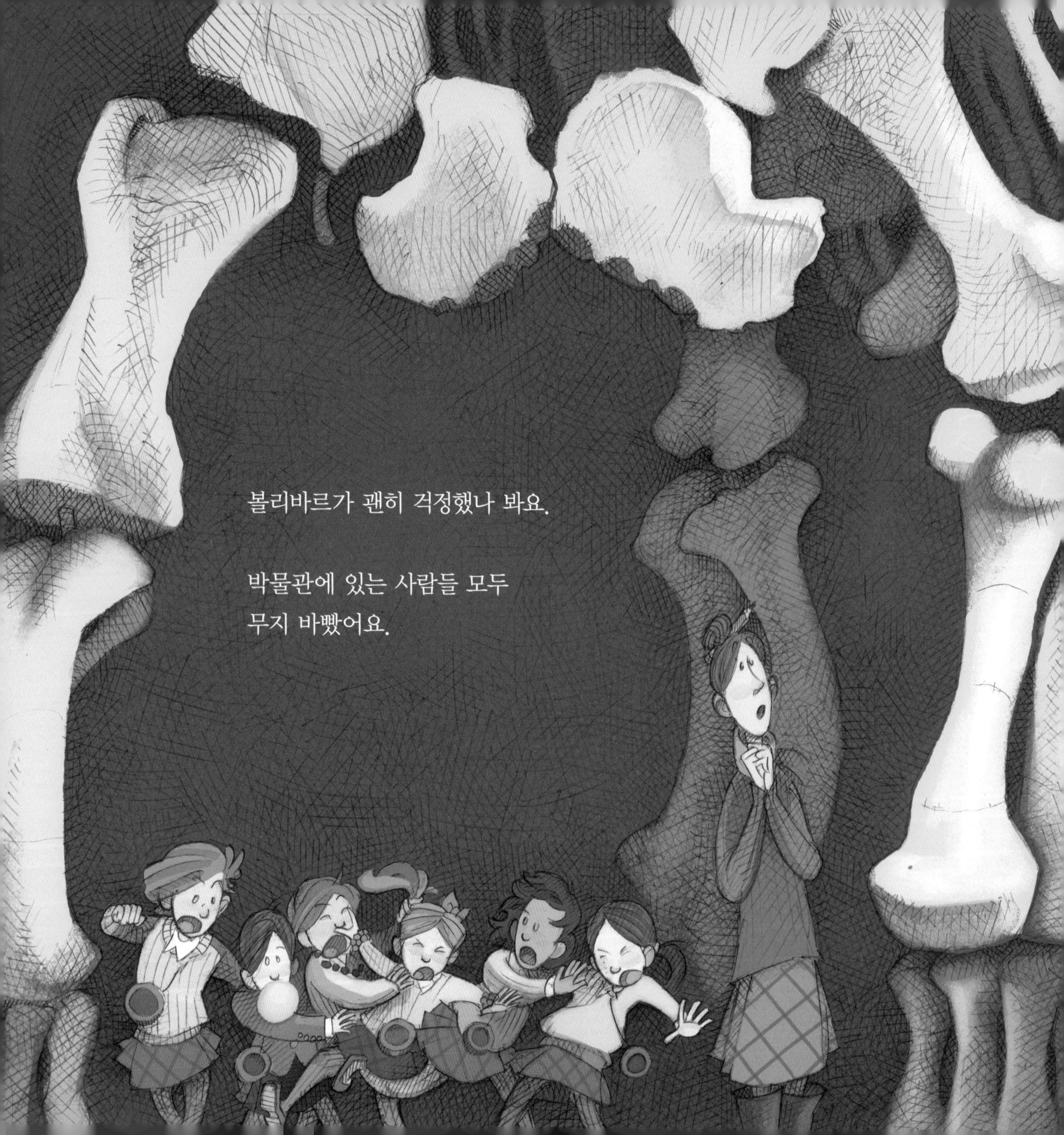

볼리바르가 괜히 걱정했나 봐요.

박물관에 있는 사람들 모두
무지 바빴어요.

딱 한 사람만 빼고요.

시빌은 시장님을 보자마자,
진짜 시장님이 아니라는 걸
알아차렸어요.

그는 공룡이었어요.

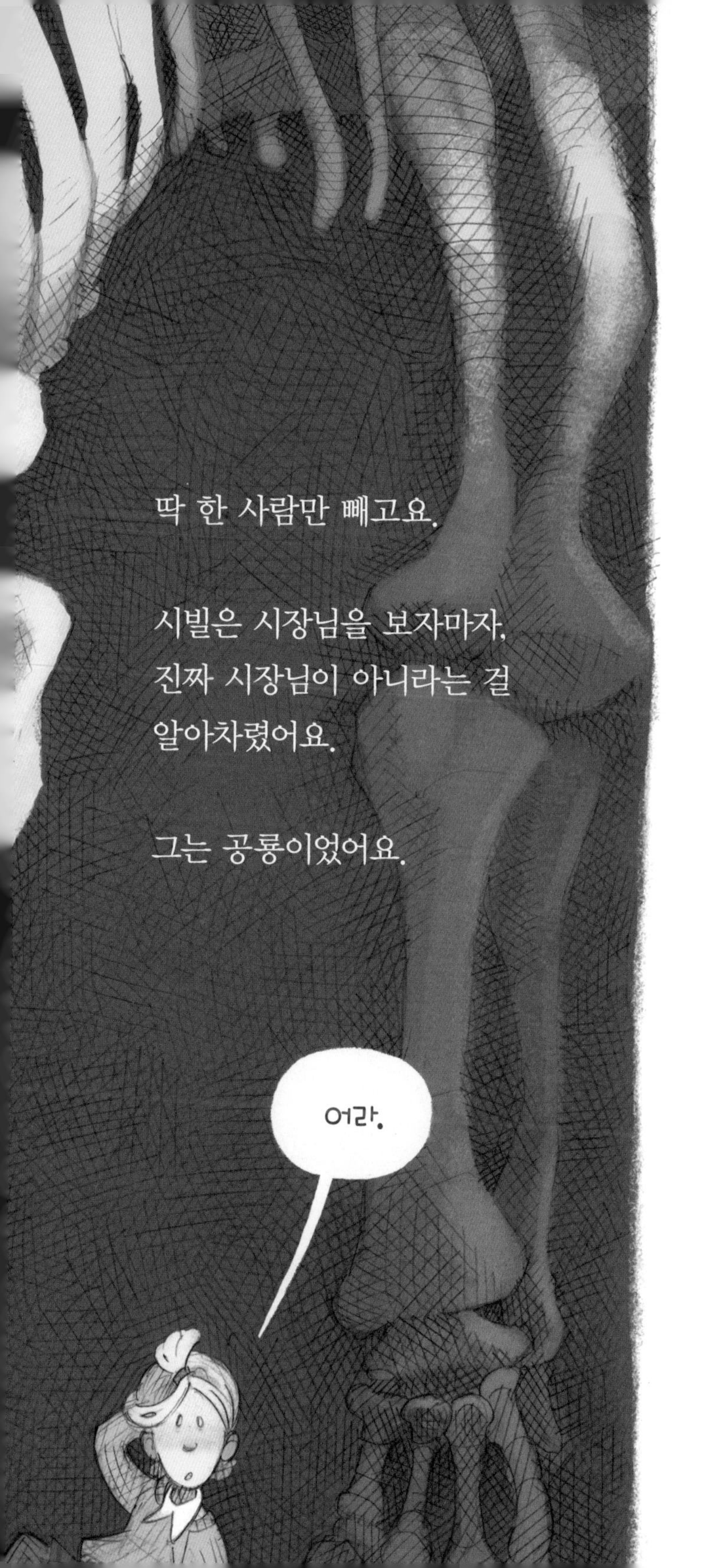

시빌은 선생님에게 말하기로 했어요.

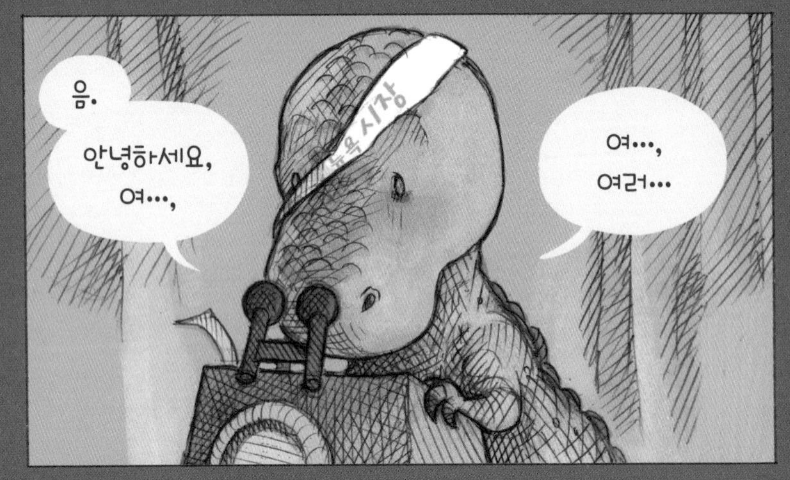

선생님은 아무도 겁먹지 않게,
조용히 박물관 경비원을 찾았어요.

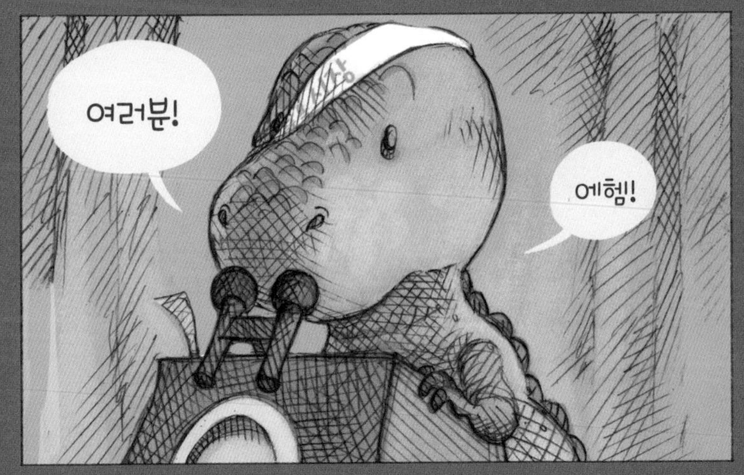

경비원도 눈을 가늘게 뜨고 보더니
시장님이 공룡이라고 판단했어요.

… 아마도 그런 것 같았어요.

요즘 고생물학자는 자기 분야에서 가장 잘나갔어요.

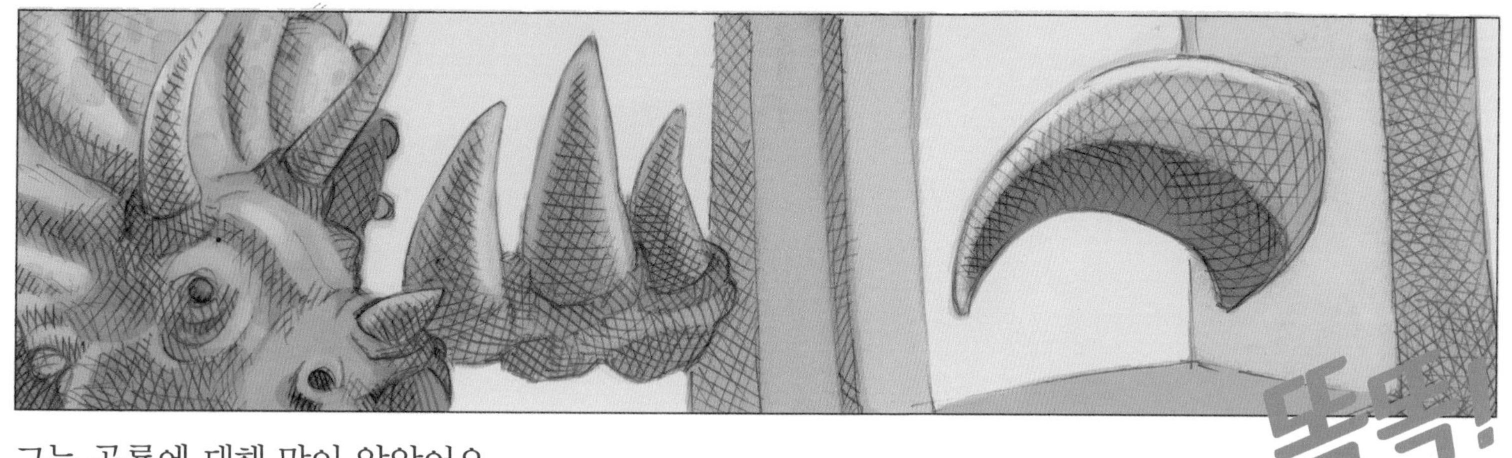

그는 공룡에 대해 많이 알았어요.

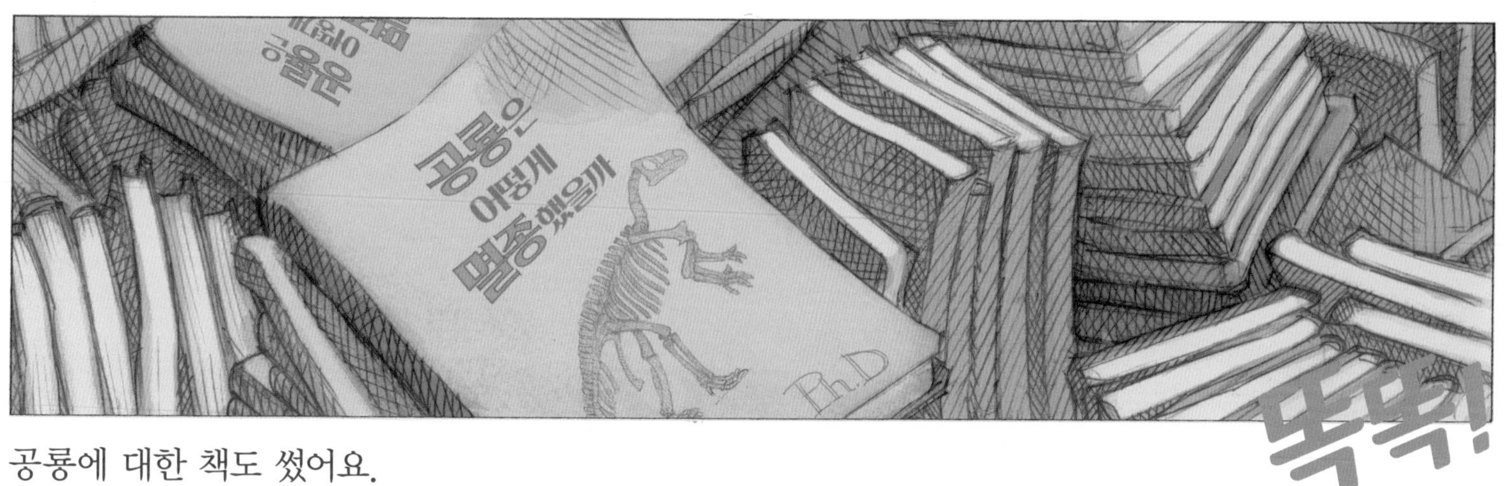

공룡에 대한 책도 썼어요.

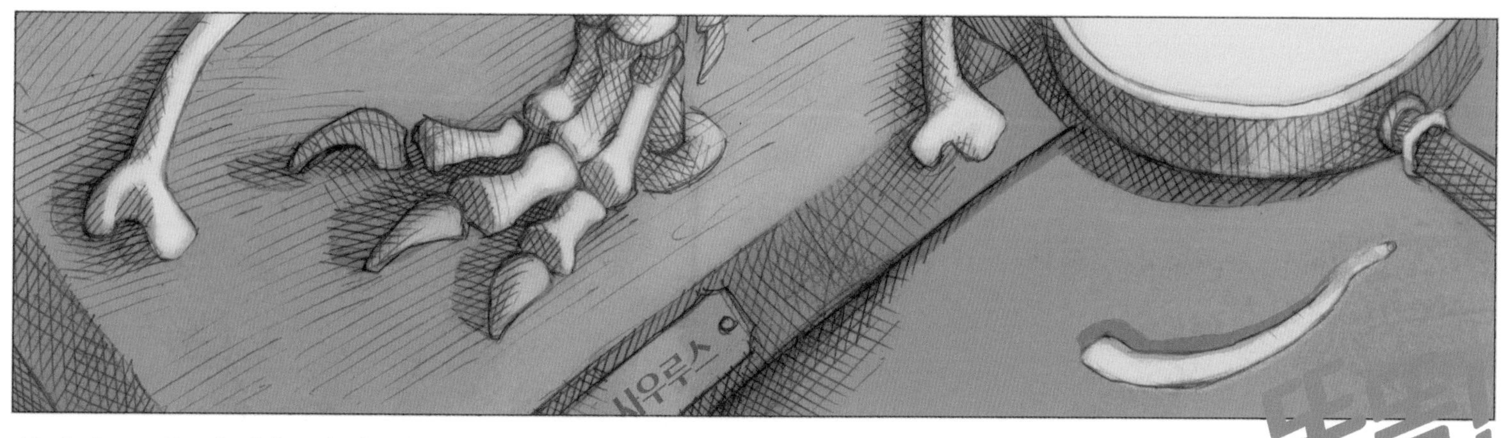

심지어 공룡 화석을 직접 발견하기도 했지요.

똑똑!
네?

똑똑!
DEPT. OF PALEONTOLOGY
고생물학과
똑똑!
이게 좋겠어.

무슨 일입니까?

그게, 여기 선생님이랑 학생이…
박물관에 진짜 공룡이 있어요!

어이쿠, 그런 터무니없는 소리를 하다니!
하지만…

어디서 네스호 괴물 얘기를 주워듣고, 바다 괴물이 나오는 옛날 영화도 보았나 본데, 과학자로서 공식 입장을 밝히자면 다 헛소리라고 분명하게 말할 수 있어요.

하지만 고생물학자는 입장을 바꿔야 했어요.

볼리바르는 시장님 역할이 정말 즐거웠어요. 태어나서 처음으로 사람들 앞에 서 보았지요. 볼리바르는 평소에 좋아하던 우스갯소리를 들려주기로 했어요.

바로 그때… 누군가 소리쳤어요.

살아있는

공룡이다!
뉴욕 시장
어디요?

볼리바르는 시장님 역할을
하느라 바빠서
자기가 공룡이라는 사실을
까맣게 잊었어요.

그래서 달아나기로 했어요.

뉴욕시장
뉴욕 라디오에서
속보를 전해 드립니다!

청취자 여러분,
정말 믿을 수 없는 일이
벌어졌습니다.
극한육아
지금 자연사 박물관은
공포의 도가니로
변했습니다.
시장님이….
?
자연사 박물관?
시빌이 있는 데잖아!
오, 안 돼.
이리로 옵니다!
약 20미터 앞에…
그…, 으악!

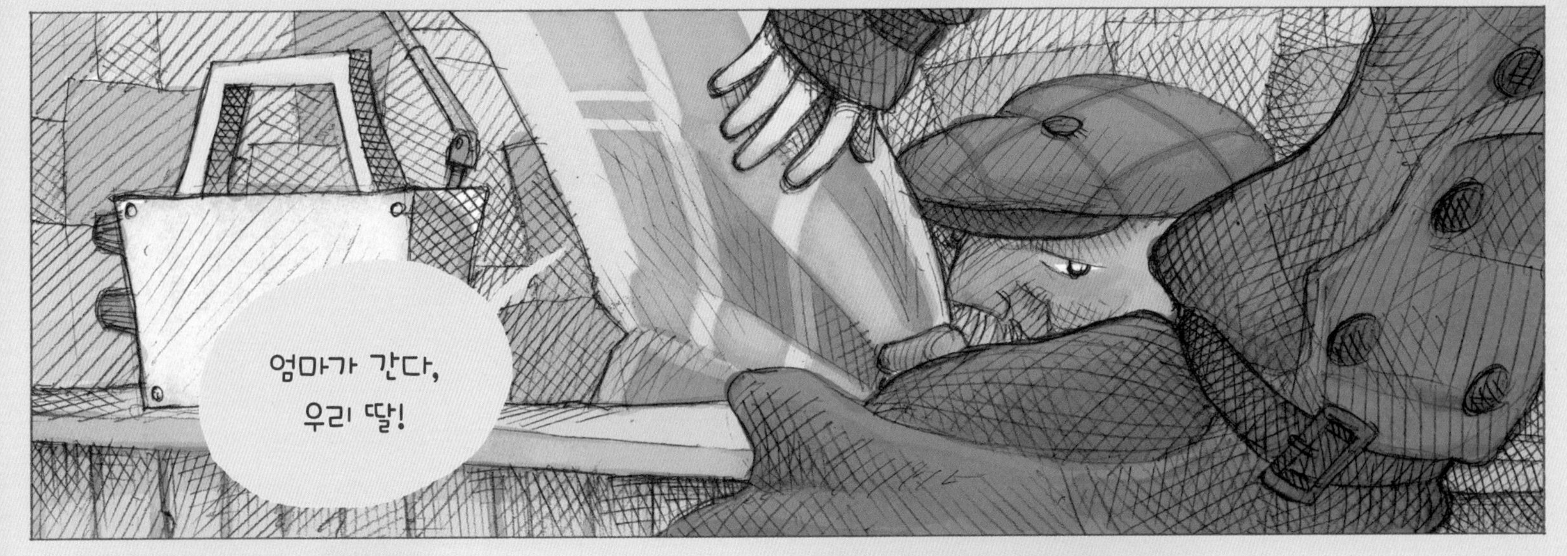
엄마가 간다,
우리 딸!

지금 간다!

무슨 일 있나?
다들 왜 난리람?

정말 말도 안 됩니다. 어찌된 일일까요? 시장님이 공룡이라니…,
공룡은 다 멸종한 줄 알았는데요!
멸종했어요! 과학적인 사실입니다!
하지만…
공룡이 다 멸종했다면 우리를 쫓아오는 저 공룡은 뭐죠?
몰라요! 어쩌면 저 공룡은 멸종하지…,
않았나 봅니다.
도망가지 말아요!
위험하지 않아요!

위험하지
않음….
윽!
근데 왜 자꾸
쫓아오는데?
더 빨리 가자.
더 빨리 빨리!
쫓아와?
아…!

볼리바르는 어깨 너머를 돌아보고
마침내 진실을 깨달았어요.

자신이 바로 공룡이었어요.
다들 자신을 피해 달아난 거예요.

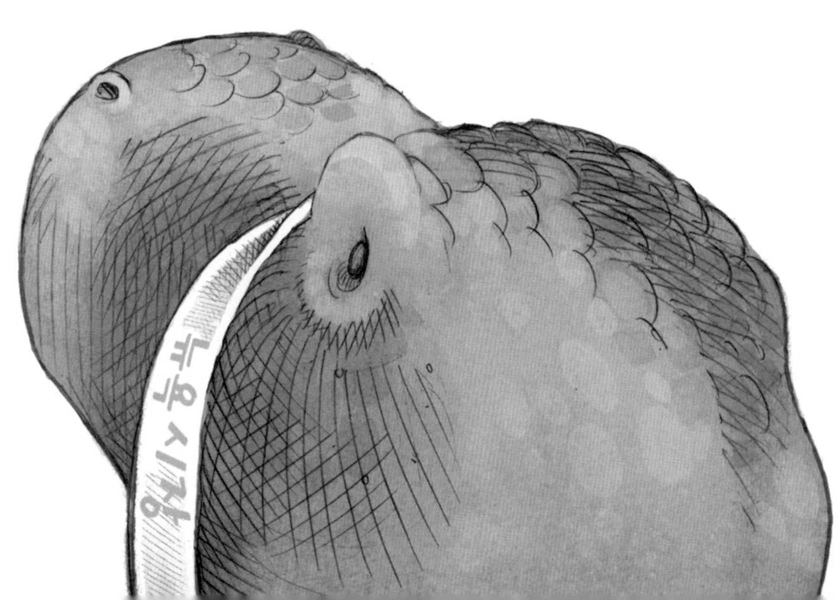

미안해요!

다들 겁먹고 달아날 줄은 몰랐어요.
응?
아… 그래…. 안녕, 음… 꼬마야?

난 괜찮아. 정말이야. 누군가 "공룡이다."라고 소리치면 달아나는 게 당연해. 나도 달아났는걸.
그래서 쭉 혼자 지냈던 거예요? 난 공룡이 진짜로 있다는 걸 모두들 알아주길 바랐어요.
그 바람 때문에 계속 따라다닌 거예요.
멸종
한때 지구에는 공룡이 많이 살았다

나를…
따라다녔니?
사진을 찍으려고요.
내가 말하기 전엔
아무도 알아차리지 못했어요.
사람들은 늘 **아무것도**
못 알아차려요.
잠깐.
넌 **누구니?**
시빌이에요.
우린 이웃이랄까요?
바로 옆집에 살아요!

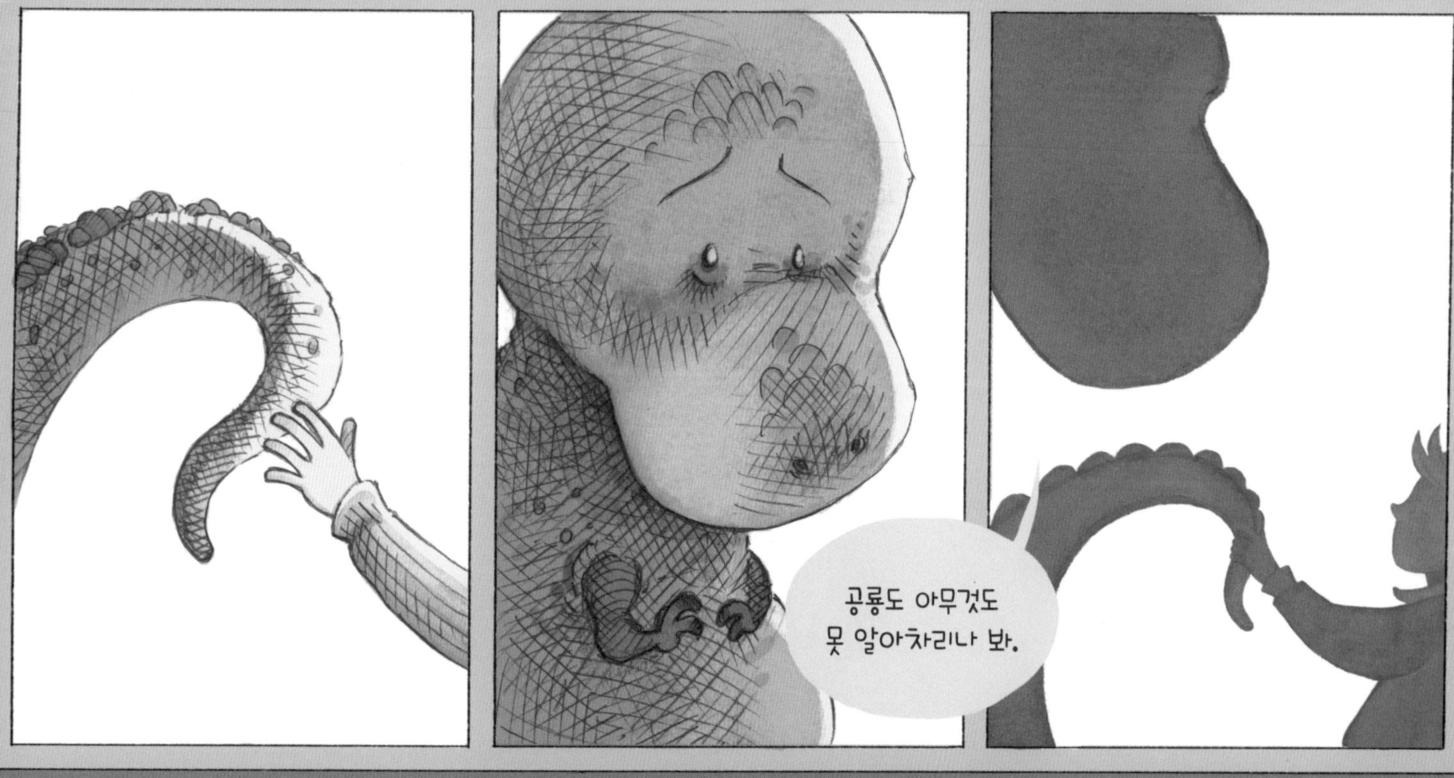
공룡도 아무것도
못 알아차리나 봐.

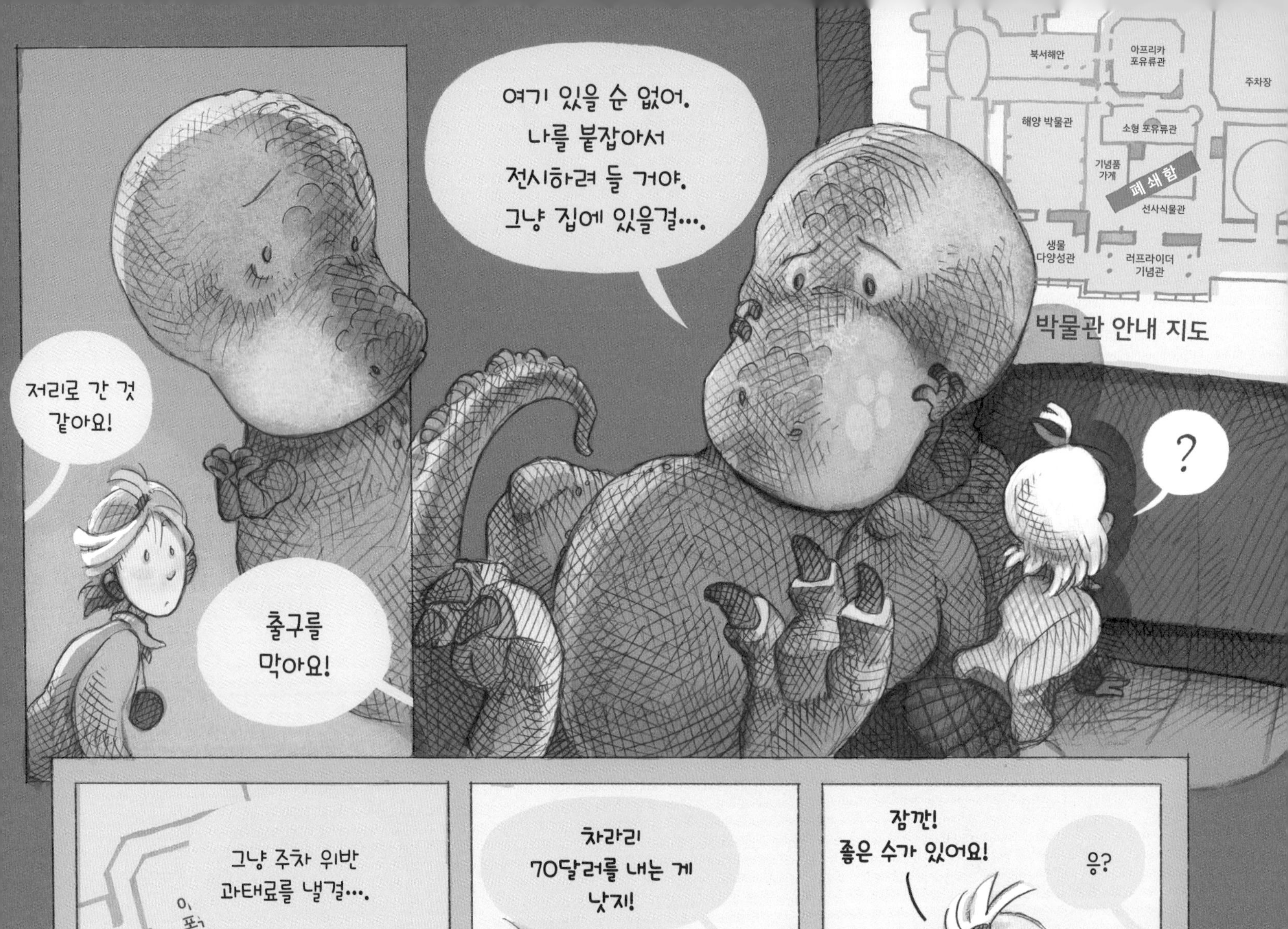
저리로 간 것 같아요!
출구를 막아요!
여기 있을 순 없어. 나를 붙잡아서 전시하려 들 거야. 그냥 집에 있을걸….
?
북서해안
아프리카 포유류관
주차장
해양 박물관
소형 포유류관
기념품 가게
폐쇄함
선사식물관
생물 다양성관
러프라이더 기념관
박물관 안내 지도

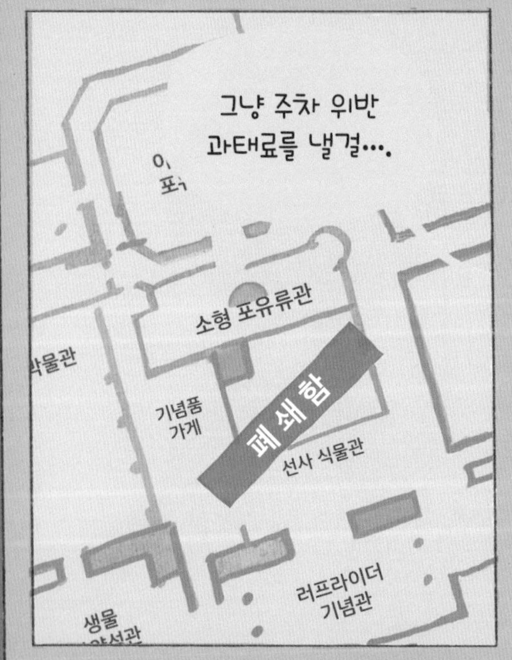
그냥 주차 위반 과태료를 낼걸….
소형 포유류관
기념품 가게
폐쇄함
선사 식물관
러프라이더 기념관

차라리 70달러를 내는 게 낫지!

잠깐! 좋은 수가 있어요!
응?

잠깐 귀 좀!
정말? 확실해?
거긴 아무도 안 들어가요!
알았어…. 그런데, 넌 내가 위험하다고 생각하지 않니?
그럼요! 난 당신을 알아요. 미술관이랑 먹을 거랑 책이랑 음악을 좋아하는 내 이웃이잖아요!

저쪽도 확인해 봐요!

자, 가야겠어!

내 친구이기도 하고….

자,
누구인 척했느냐는
상관없어요.
놈을 사로잡아야
합니다!
이건 과학 사상
최고로 중요한 발견이에요!
뭐…, 제 마지막 발견 이후로
손꼽자면 그렇습니다!
모자는
어디서 났대?
기념품
가게?
뉴욕
플라네타륨
및
우주관
공사중

어떻게
사로잡죠?
그나저나 대체
무슨 공룡입니까?
아, 낸들
압니까?
왜 하필
요전 공룡한테
내 이름을 붙였담?
고작
60센티미터
였는데!
저….

뉴욕
플라네타륨
및
공사중

저기
있어요.
!
갇혔다!
뉴욕
플라네타
및

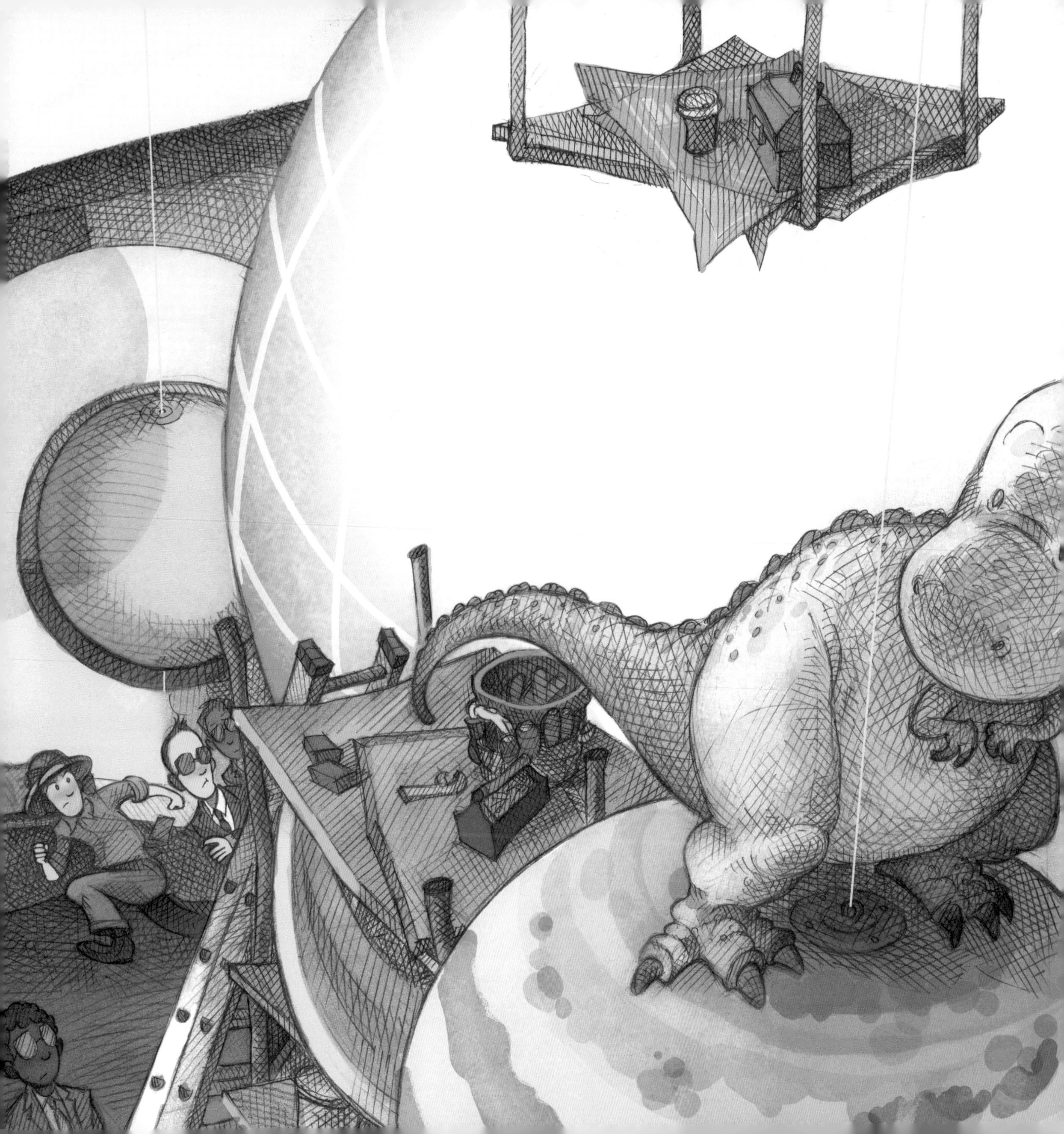

거긴
출구가 없어!
넌 포위됐다!
쪼그만 손
번쩍 들고 내려와.

찰칵!
어어!

어어!

쿵!
아아아아아아아아아아아아아

저, 그게…
아직 저 위에
있어요.

!

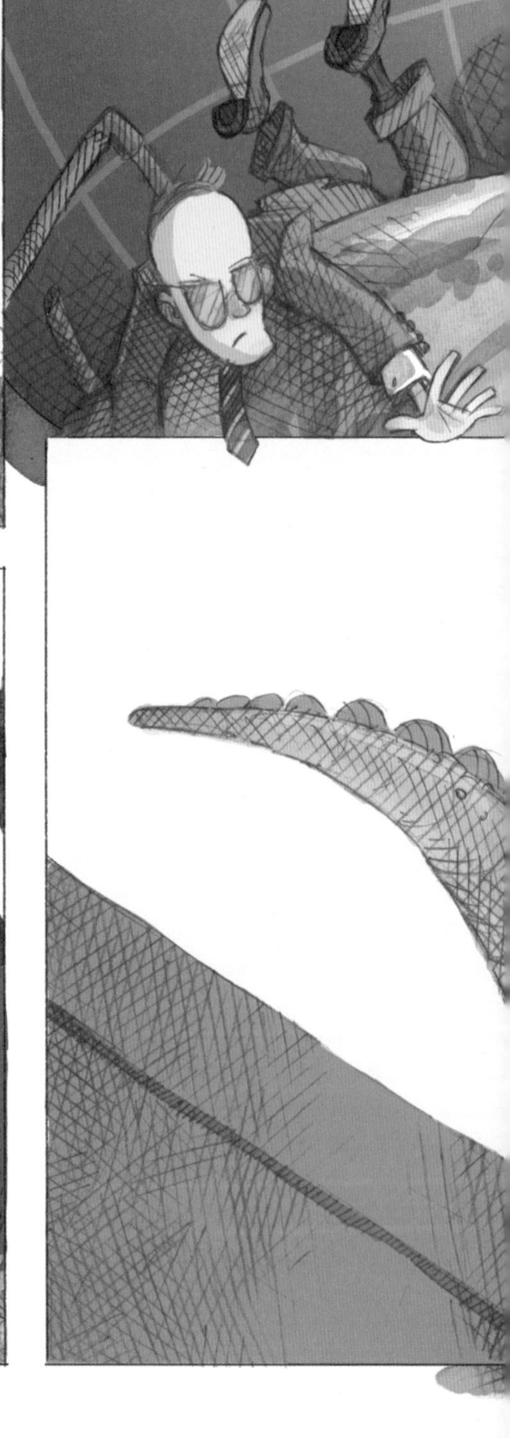

공룡이
선사 식물관 쪽으로
간다!

저기예요!
선사
식물관
관람객 부족으로
폐쇄합니다
꼼짝 마.
넌 포위됐다!
카카데오이데아
뷰비아

여러분,
당대 최고의 과학적 업적을
똑똑히 보십시오.

우리는
이 세상에 남은
마지막 공룡을 이제 막
사로잡았습니다.

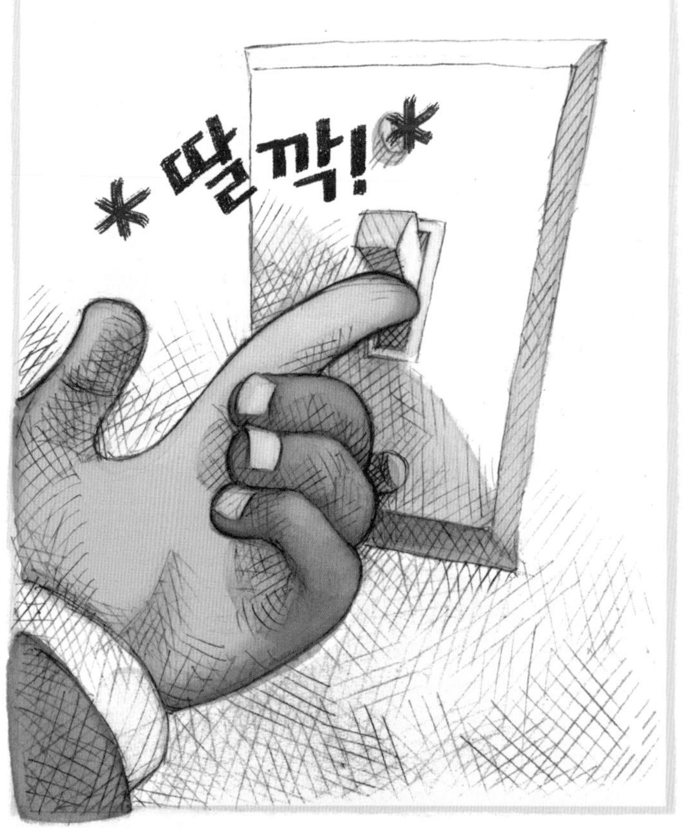
딸깍!

할인!
"공룡은 어떻게 멸종했을까"
75% 할인
음, 틀렸네요.
15달러

볼리바르는 도망친 뒤에도 조심해야 했어요.

자연사 박물관에 진짜 공룡이 나타났다는 소식이
온 도시에 퍼졌을 테니까요.

뉴욕 사람들 모두가 공룡을 찾으러 나왔을 거예요.

공룡은
공룡은
어떻게
멸종했을까
그나저나
뭘 찾으라고?
반장님이
털북숭이 매머드
어쩌고저쩌고하시던데?
물러서요!
수사중 출입금지
수사중 출입금지

털북숭이
매머드라고?
이
날씨에?
물러서라니까요!
하지만
우리 아이가
안에 있어요!
출입 금지
출입 금지
수사중 출입 금

뛰어!
이러다 잡아
먹히겠어요!
키가
6미터야!

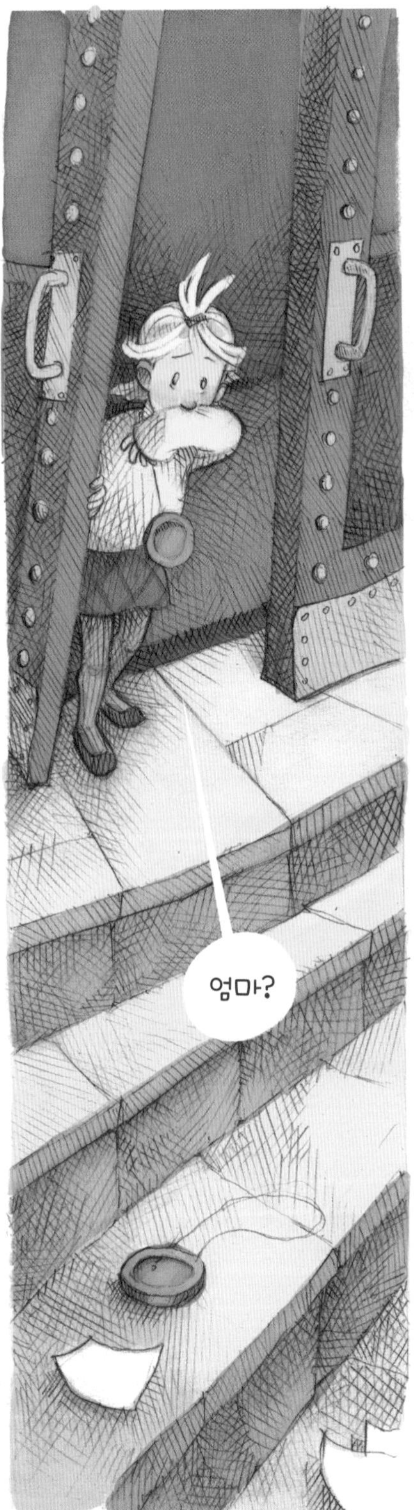
엄마?

시빌!
이봐요!

시빌, 우리 딸,
대체 무슨 일이니?
숨 막혀요.

그러니까, 시장님이 연설을 할 **예정이었는데,**
시장님이 **공룡**이라서 다들 엄청 놀랐어요.
공룡은 공룡대로 헷갈리는 바람에,
웬 공룡이 **자기**를 쫓아온다고 착각하고…,
때마침 내가 발견해서
도망칠 수 있게 도와줬어요.

엄마,
왜 군대가
출동했어요?
공룡?
시빌,
공룡은 없어.
저…,

네?

동물관리
종합본부
그게…
그러니까….

볼리바르가 괜히 걱정했나 봐요.
다들 너무 바빠서 아무것도 알아차리지 못하는데 말이에요.

CHAPTER 5
내 친구 공룡 볼리바르를 소개합니다

전시 종료
어떻게
멸종했을까
1 South
THANK YOU
NEWS
들어 봐.

1
I ♥ NY
I ♥ NY
I ♥ NY
I ♥ NY

South Ferry
과학자들에 따르면,
웨스트사이드에 나타난
공룡 생김새가 수각류와
그럭저럭 일치하는데…,
수각류는 두 발로 걷는
선사 시대 육식성
공룡이래!

뉴욕헤럴드
포트트라이언 공원에
유니콘 출현?!

1 South Ferry
재개관!
선사
식물관
자연사
박물관으로
오세요!
육식성이라니!
이게 무슨 뜻인 줄
아니?

1
고생물학자들 말로는,
몸집이 이 정도면 **날마다** 고기를
엄청나게 먹을 거래.
브론토사우루스 같은 거대한 동물을
잡아먹었을 거라는데?
뉴요커
물론 그런
거대한 동물은
멸종하고 없지.

이번 정류장은...
지직...
81번가입니다...
삐익!
재개관!
선사
식물관
뉴요커
대신 이 도시에
뭐가 많게?

사람!
이 공룡은 사람 안 먹어요, 엄마.
시빌, 조심하면 좋겠어.
공룡이 어디서 불쑥 나타날지 모르니까.
음, 내가 공룡이면 어떻게든 눈에 안 띄려고 할 거예요.
우스꽝스러운 변장을 해서라도요.

?
공룡을
찾습
당신 말고요.

볼리바르는 공룡이에요. 세상에 남은 마지막 공룡이지요.

공룡이 다 그렇듯, 볼리바르도 주목받는 걸 좋아하지 않았어요.
그러니 문제였지요.

공룡을
찾습니다
간략 스케치 • 신고 전화 1-800-뉴욕

& Brooklyn
1
1
공룡을
찾습니다
알아차렸니?

온 도시가
당신을 찾고 있어요.
당신이
위험하지 않다는 걸
사람들한테
알려야 해요!
됐어.
다들 날 보면
달아나고 소리치고
경찰을 부르는걸.
81ST STREET
시빌?
나에게도
그 누구에게도
안전한 일이
아니야.

시빌?
어디 갔니?
이봐요!
죄송해요, 엄마.
잠깐 얘기 좀….
아니에요.

공룡을
찾습니다
간략 스케치
신고 전화
1-800-뉴욕
Street
ion
1
지하철
택시

공룡을
찾습니다
공룡을
찾습니다
영업중
공룡을
찾습니다
나는
괴물과 싸웠다
인기
폭발!

제발 엄마 눈에 보이는 데 있어, 응?
《나는 괴물과 싸웠다》 있어요?
할인
재즈
음반

저기요!

생각해 봤는데요, 사람들이 당신을 보고 달아나지 않으면 어떨까요?
다른 사람들 대하듯 당신을 대하면요?
그럴 일은 절대 없어.

미스터리
공상 과학
시빌?
여기 있었구나.

죄송해요, 엄마.
잠깐 얘기 좀….
나는 괴물과 싸웠다

아니에요.

볼리바르는 사람들에게 들키지 않으려고
그 어느 때보다도 조심했어요.

Kanofsky's
RESTAURANT
SOUP · KNISHES
시빌,
딴 데로 좀 새지 마!
그러다 잡아먹히기라도
하면….
엄마, 이 공룡은
사람 안 먹어요!
그래?
그럼 뭘 먹는데?
!
식당에서
브론토사우루스
버거라도
파는 줄 아니?
시빌?

… 호밀빵에,
러시안 드레싱….
금방 준비해
드리겠습니다.

저기요!
방법을 찾은 것
같아요!

제발 날 좀
내버려 둬.
자꾸 이러면
우리 둘 다
곤란해질 뿐이야.
사람들이
당신 참모습을
안다면요?
그럼
달아나지
않을 거예요!

시빌!
마지막으로
경고하는데….

어머
안녕하세요?
따님이 정말
끈질기네요.
안녕,
엄마.
네…, 죄송한데,
당신은 공룡인가요?
터무니없는
소리 말아요.
공룡이
멸종했다는 건
누구나 알잖아요.
아얏!
맞아요!!
나는
공룡이에요!
퍽!
얘!
공룡을 차면
안 돼!
그러다….

“잡아먹힌다”
고요?
아뇨.
안 잡아
먹어요.
안 잡아
먹어요?
네.
그럼,
뭘 먹어요?
에헴.

자, 여기…,
통조림 소고기를 듬뿍 넣은
오 단 디럭스 콤보
호밀빵 샌드위치…
나왔습니다.
실례지만,
손님도
주문하시겠습니까?
쿡쿡
네.

그 순간 볼리바르는 뉴욕에서
가장 좋아하는 것들을 새삼 떠올렸어요.

볼리바르는 미술관을 좋아했고, 공원을 좋아했어요.

BRISKET
PASTRAMI
TONGUE
CORNED BEEF
SALAMI
TURKEY
CHOPPED LIVER
KASHA
LATKES

음악을 좋아했고,
음식을 좋아했어요.

무엇보다도 볼리바르는 사람들을 좋아했어요.

자신을
믿어라!
볼리바르는 미술관을 좋아했고,
공원을 좋아했어요.
음식을 좋아했고, 음악을 좋아했어요.
무엇보다도 볼리바르는
사람들을 좋아했어요.
그리고 어쨌거나,
사람들…
음…,
그래요!
이거예요.

이번 주 라틴어
stella -ae
ad kalendas graecas
공룡을 찾습니다
방문객
어쨌거나
당신이 세계적으로
유명한 공룡이라
할지라도…

* 글쓰기
주제 : 이웃 공룡
뉴욕 사람들은 너무 바빠서 알아차리지 못한답니다.

… 보통은 그렇다는 거예요.

NEWS
POST

공룡을
찾습니다
I
NY

감사의 말

이 책을 그리는 데 5년이 넘게 걸렸습니다. 그동안 인내심을 갖고 응원한 많은 분들에게 폐를 끼쳤습니다. 그중 몇 분이라도 소개합니다.

《이웃집 공룡 볼리바르》를 그리는 동안, 너새니얼 앤젤, 앨리엇 새뮤얼스, 마크 졸린호퍼와 로이스 졸린호퍼 부부가 작업실을 빌려 주었습니다. 버지니아주 샬러츠빌에 있는 쉼터 더헤이븐에서도 예술가 입주 공간을 지원해 주었습니다. 공간을 마련해 준 뉴시티아츠와 더헤이븐 직원들, 고맙습니다.

라이프플로어 식구들도 고맙습니다. 제가 휴가를 아무리 많이 요청해도 늘 아낌없이 지지해 준 조너선 켈러, 스펜서 하웰, 제이슨 바키, 그웬 뤌레에게 특히 고마움을 표합니다. 키스 글러팅과 클로이스터스 미술관 직원들도 고맙습니다. 정말 좋은 친구가 되어 준 앨리슨 딕슨, 엘리자베스 슬레이터, 애니 콜퀏, 사샤 영, 로라 애덤스 숀호프, 켈리 그로브에게도 특별히 고마운 마음을 전합니다.

드루 딕슨, 알렉스 케인, 버지니아 샤프, 웨이드 브래드쇼, 존 린, 토마스 과네라 등 많은 친구들이 너그러운 마음으로 초고를 읽고 의견을 이야기해 주었습니다. 제시 클레멘츠는 영감을 북돋는 말들과 음악을 소개해 주었습니다. 주로 공원을 돌아다니며 자료를 조사할 때는 제이슨 머피가 누구도 대신할 수 없는 몫을 맡아 주었습니다.

폴 모리시, 레베카 '테이' 테일러, 휘트니 레퍼드, 시에라 한 등 이 책에 참여한 모든 편집자들, 고맙습니다. 《이웃집 공룡 볼리바르》의 가능성을 처음 믿어 준 P.J. 비켓, 잭 커민스와 마크 스밀리 등 아카이아 출판사 친구들, 그리고 끝까지 인내심을 갖고 프로젝트를 이끌어 준 로스 리치와 BOOM! 스튜디오스 식구들, 고맙습니다.

이 책을 쓰면서 많은 예술가들에게 영감을 빚졌습니다. 그중에서도 내 사촌 에드워드 아데오는 볼리바르에게 이름을 지어 주고 볼리바르를 첫 모험으로 이끌었습니다. 아데오에게 이 책을 바칩니다. 또 브라이언 자크, 데이비드 피터슨, 이브 애쉬하임, 빌 워터슨에게도 고마움의 뜻을 전합니다. 그리고 에드워드 호퍼에게 깊은 양해를 구합니다.

《이웃집 공룡 볼리바르》 프로젝트를 진행하는 동안, 첫 담당 편집자이자 초창기부터 열성 팬이었던 스티븐 크리스티, 소중한 친구이자 어시스트인 헤더 시몬, 내 부모님 데이비드 루빈과 드니스 루빈, 그리고 몹시 재미있고 창조적인 우리 대가족이 거의 매일같이 보내 준 지지와 격려에 큰 힘을 얻었습니다.

마지막으로, 어퍼웨스트사이드의 아파트에 틀어박혀 살던 저를 끄집어 내서 미처 상상 못한 풍요로운 삶으로 이끌어 준 루시와 새미, 그리고 찰리에게도 고마운 마음을 전합니다.

2017년 부활절에
프라이스 스프링에서

글·그림 숀 루빈

뉴욕 브루클린에서 태어났다. 도시에서 재미있는 잡동사니를 모으고 미지의 영역을 탐구하고 책에 나오는 캐릭터를 따라 그리면서 즐겁게 자랐다. 프린스턴 대학교에서 미술과 고고학을 전공하면서 아내 루시를 만나 결혼했다. 〈레드월〉 시리즈에 일러스트레이터로 참여했고, 아이스너상 수상작인 《마우스가드: 가드의 전설》 선집 작업에도 참여했다. 지금은 아내와 함께 버지니아주 샬러츠빌에서 아들 둘을 키우며 살고 있다.

옮김 황세림

대학교에서 미학을 전공하고, 대학원에서 비교문학을 공부했다. 옮긴 책으로는 《스룰릭》, 《아빠는 내 맘을 몰라》, 《나는 여자아이니까 세상을 바꿀 수 있어요!》 등이 있다.